YOGA

seven

曲影瑜伽

7日速效瘦身瑜伽

曲影编著

Quying

成都时代出版社

目录

序 PROLOGUE

享瘦主义入门

曲影话你知
Quying tells you

“你是否做好了**减肥**的准备？”

“你敢发誓，

如果你瘦下来，

就不会让自己再胖回去吗？”

为了穿上那件漂亮的的晚礼服，

为了从天而降的真命天子，

为了一个新的工作机会……

就如同明星们为了剧情需要，

或是一周后要走奥斯卡颁奖礼的星光大道一样，

很多时候我们需要快速瘦身，

但却又害怕失去健康。

总是听说谁谁快速瘦身后复胖，

这还是小事，更可怕的是，

服用药物快速瘦身后的齿摇发落，

皮肤满是皱纹……最惨的是有人为此失去生育能力，

有人为此丧失了生命。

速效式的瘦身法，真的会导致如此多的不测后果吗？为什么苦苦追寻来的各种各样的速效瘦身法，到头来得到的还是减了又肥、赔了夫人又折兵的结果呢？问题的关键是：你没有好的瘦身方法，减的是水分，而不是脂肪，真正的瘦身效果是“瘦身美体”。

同时，你也没有好的激励方式。在偶像日剧《恋爱奇迹》中，叶月里绪菜饰演一个个性可爱的胖女孩，不幸的是，胖胖的她永远只能做帅哥的干妹妹，直到她减肥成功，才开始真正的爱情人生。相对来看，我们是否常常都只把减肥当成一种赎罪，却没有正视它对你人生的意义？如果你没有身体自主权，你认为你还可以掌握自己的人生吗？除却健康的因素，如果你的人生因为肥胖，而陷入种种不利境地，那么为什么不下定决心改变自己的形象呢？不要把减肥只看成是消除赘肉，要知道减肥是从魔鬼的欲望中，夺回你身体自主权的战争。就像许多人努力工作，有着强烈的的事业心一样，请将减肥当作你的事业，因为只有让自己不再为身材问题而去扭曲个性的时候，你的人生才真正地开始。

回想一下，你的身体形象是否是靠高热量食物创造出来的？每一公斤的体重，是靠31.35千焦热量累积成型，洋芋片形成你肥厚的胸背，水桶腰则是甜食造成的，至于大腿与臀部，都是一边看演唱会录像带，一边吃披萨和可乐堆积出来的。想要减一公斤，听起来简单，做起来难，只有靠饮食控制与运动双管齐下，才能达到你的完美标准。

我为大家带来的这套具有突破性的“速效瘦身瑜伽”一周便可以急速减重，是一种对身心都有很大益处的奇特自然瘦身法。它以独特的瑜伽体位法配合严格的瑜伽饮食戒律，其特点是：快速、安全又不辛苦；易学易练容易坚持；当七天瘦身取得阶段性的成功之后，保持战果不反弹也是轻而易举就可办到的，是想瘦又追求健康人士的最佳选择！

Basic of fitness Basic of fitness Basic of fitness

我与曲影的美丽天使契约书

A Perfect Angel Contract Of Quying And Me

本人＿＿＿＿，愿奉献所学瘦身资讯并带领各领域之专业人士与读者分享，一同成长

本人＿＿＿＿立志打造一个全新亮丽的自己

我立志将全身上下不满意的

□ 1松松手臂　□ 2厚厚背部　□ 3圆圆腰围　□ 4肥肥臀部

□ 5粗粗大腿　□ 6壮壮小腿　□ 7身心健康　□ 8皮肤光泽

从　　年　　月　　日起跟曲影老师一起努力瘦身，加入快乐健康的瘦身美人族。

我的身体现状	
体重	公斤
上手臂	公分/寸
臂围	公分/寸
小腿	公分/寸
年龄	岁
身高	公分/寸
健康情况	（ ）不佳　（ ）普通　（ ）良好
肤色、气色	（ ）不佳　（ ）普通　（ ）良好
精神状态	（ ）不佳　（ ）普通　（ ）良好
食量状况	（ ）暴食　（ ）正常　（ ）厌食
睡眠状况	（ ）不佳　（ ）普通　（ ）良好

我的美丽目标	
体重	公斤
上手臂	公分/寸
臂围	公分/寸
大腿	公分/寸
小腿	公分/寸
年龄	岁（外表看起不像）
身高	公分/寸
健康情况	（ ）不佳　（ ）普通　（ ）良好
肤色、气色	（ ）不佳　（ ）普通　（ ）良好
精神状态	（ ）不佳　（ ）普通　（ ）良好
食量状况	（ ）暴食　（ ）正常　（ ）厌食
睡眠状况	（ ）不佳　（ ）普通　（ ）良好

你的体重标不标准： 要减肥，必须知道自已的体重标不标准，常用的算法包括：

标准体重

成年男性标准体重（公斤）=〔（身高cm−80）×0.7〕+/−10%

成年女性标准体重（公斤）=〔（身高cm−70）×0.6〕+/−10%

WHR指数（腰臀围比）

最小腰围除以最大臀围，男性超过1.0，女性超过0.8，即属肥胖一族。

BMI指数

体重除以身高的平方，数值在18.5～24之间为正常，低于18.5就是过瘦，超过24即过重。

什么样的身体最完美最性感

How is the Perfect and sexiest body like?

什么样的眼睛最性感?

韩风如此盛行，却仍有32%的被调查男性心仪双眼皮女人，还有29%的男性则更看重睫毛的长短。当然，相对于硬件条件，还是眼睛中的内容更加重要，因为女人的风情全赖眉眼流转。

什么样的颈部最性感?

精致的和服虽然把日本女人裹得严严实实，却仍旧通过低开的后领，让脖子成为欲望的宣泄口。参与投票的75%的男人称很在意女人的颈部风光，并以光洁紧致为最美。

什么样的肩膀最性感?

尽管女人不必追求男人般紧实的肩膀，却也不该显得太过羸弱。肩膀的形状直接影响整个人体的视觉效果。西班牙设计大师Balenciaga为女人发明了圆滚滚的肩膀，而上世纪80年代，全世界的服装设计师则都要为女装加上宽大的垫肩。此次调查中有39%的男人认为“宽而瘦”的肩膀最性感。

什么样的头发最性感?

中国男人对长发美女向来是无防备的，有参与此次调查的38%的男性为证。清爽的味道紧随其后，远胜过女人常常一掷千金、孜孜以求的发型、潮流。而一头略显凌乱的头发，则因牵引出小睡乱枕后的情色意味而在所有发型中独占鳌头，实在令人大跌眼镜。

什么样的鼻子最性感?

鼻子像个横梁，一旦立了起来，便可撑起整幢锦庐。君不见，各式整容最重要的一项便是鼻子，整张脸的精气神绝对不能让鼻子给败坏了下去。61%的男性认为高鼻梁的女人最性感，还有18%独爱肉感的小鼻子。

什么样的嘴唇最性感?

男人喜欢舒淇般的丰厚唇形（24%），也喜欢周迅式的小巧嘴唇（25%）。更有41%的男人认为微微张开的嘴唇最挑逗。

什么样的胸部最性感?

是男人就无不渴望一对美丽双峰的袭击。调查中发现有34%的男人喜欢大胸，还有33%的男人更在意形状而不是尺寸。曾经，每个女人都希望自己能“做个一手无法掌握的女人”，但“越大越好”是无良男人们私下乱吼的，真正的巨乳往往不受欢迎。胸形则是比尺寸更重要的事。

什么样的锁骨最性感?

V领的发明，便是让锁骨出来见人。锁骨与脖子间凹陷部分的形状也是男人们的死穴。千万别小看这个小小的细节，它要是完美了，便是整个人体的胜利。38%参与调查的男人承认自己更喜欢V形锁骨的风流韵致。

什么样的臀部最性感?

69%的男人表示翘臀最具吸引力。“大屁股女人好生养”的观念太俗，如今女性已不再是生育的象征物。东方女性的臀部大多扁平，更不能荒疏了运动。拥有翘臀的幸运女子一定是爱运动的。

什么样的大腿最性感?

59%的男人认为腿型修长是性感的要项，如果再加上皮肤光洁，就能实现女人性感的最高境界。男人们想象，如此美腿的拥有者，在床上必定可以气象万千，颠鸾倒凤地化被动为主动。

什么样的脚最性感?

调查发现34%的男人喜欢女人纤巧的双足。一对靓足应当像一把如意，足弓清晰，脚趾修长而无异相。顶顶要紧的是必须紧实，那盈盈一握时的质感，最能销魂蚀骨。

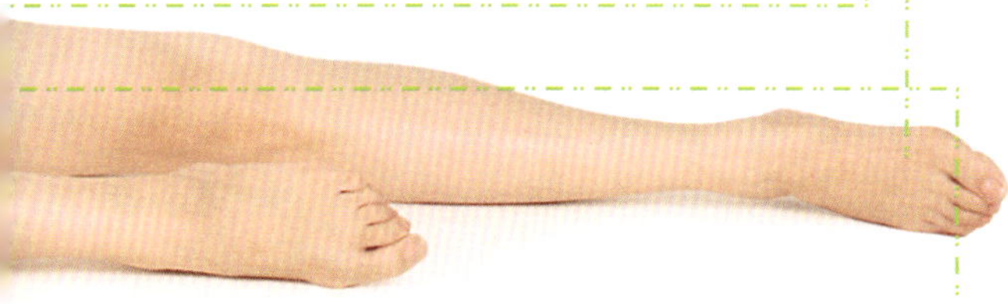

什么样的皮肤最性感?

相信没有男人会对不清爽的肌肤产生欲望，“吹弹即破”则是种病态的极端。尽管中国女人以白为美，甚至片面地认为“一白遮百丑”，却仍旧让人觉得“死鱼”般的无趣。古铜色的肌肤则更受男人的欢迎，那种日头里晒出来的肤色，让人联想起健康的生活方式，以及充沛的体力。难怪有29%的被调查者认为女人的皮肤质感最重要。

什么样的手最性感?

50%参与调查的男性表示十指纤纤的一对玉手最能撩拨他们的心弦。擅长拨弄乐器的手，往往是最美丽的，若是双手能在弦上上下翻动，灵巧拨弄，又怎会在爱抚恋人时僵硬无趣呢？若是更加高标准、严要求一些，温热的双手更是极品。32%的男人最爱拥有温热双手的女人。

什么样的腹部最性感?

66%的男人喜欢平坦结实的小腹，因为颜面上的事，女人不见得敢懒，可腹部却能暴露一个懒女人。四体不勤者，腹部日积月累的脂肪，便可挂在皮带上。古人爱“小蛮腰”，女人可以手无缚鸡之力，却不能腰上无力，床上的好坏全看腰腹上的劲道。也有13%的宽容男子更喜欢小有肚腩的女人。

第①章

神奇瑜伽术——7日后带给你惊喜

Yoga:

What Is Yoga?

一 什么是瑜伽?

瑜伽，起源于6000多年前的“古印度”，是世界四大文明古国之一的印度传统文化的重要组成部分。是一门源远流长、历史悠久、内容丰富的练功方法。在“古印度”的那个乐园里，圣贤们通过特定的实施原则，在自己的身、心系统中导入天地生命系统，整合成天地人生命系统过程中悟出：地球上的人类，身、心系统只是为维持生命最低功能而结合着，人体功能的绝大部分以睡眠形式潜伏在体内，并破解出其直接原因在于常人身、心大部分处于分割的状态，换言之：人的身体，感情、头脑及精神都是处于要求实现各自的需求和愿望而运作的无序状况。伴随生命的发展，这种身、心分离状况日趋严重，并使得每个人无法将身、心能量序化成整体一样起作用。而瑜伽体系认为，只有把身、心能量高纯度序化才是充分挖掘潜能赖以实现的平台。

“瑜伽”意旨躯体与心念在稳定、安静和舒适的状态下达到和谐统一。

印度的帕谭佳里的《瑜伽经》中对瑜伽有非常精确的定义：最稳定最舒适的姿势。

瑜伽的体位练习是配合呼吸的韵律，围绕脊柱伸展身体完成各种姿势。方法上强调“动静结合”，练习过程中把人的神、形、气（精神、形体、气息）能动的结合起来，外练筋、骨、皮，内养精、气、神。藉着瑜伽体位练习使脑细胞的电活动得到调整、改善和提高，有利于大脑控制、调整各部脏器的功能，尤其是内分泌系统的功能调整，减肥效果不但明显而持久，同时还能美体（塑身、美姿）。

瑜伽与健美操两者有所不同：健美操使肌肉和内脏处在极度紧张状态，而瑜伽可使新陈代谢低缓，使生命体系放松，产生增进美容与美体的最大功效。神奇的瑜伽有助于你：集中精力，创造良好的感觉和平和的心态，增强自我价值和信心；改善身体内部机能，使身体的能量与活力得到全面的恢复；使肌肉与骨骼得到强化训练，全方位促使脂肪分解，加速体重下降。

Fitness: Don't hesitate! Yoga can keep fitnesst

二 不用怀疑，瑜伽也能瘦身！

瑜伽由伸展动作和呼吸方法组成，也属柔韧性运动，能改善脊椎柔软度，它藉由扭转、弯曲、伸展的静态动作及动作间的止息时间，直接刺激神经和肌肉系统。

印度瑜伽研究所及美国华盛顿瑜伽研究所对肥胖者治疗的临床经验显示，所有肥胖的人都有一些共同习惯，都有下列共同的特性：1. 惯于饮食过量。2. 大部分时间都在吃东西。3. 吃得很快，没有充分咀嚼。4. 用过晚餐，很快睡觉。5. 缺乏劳动或没时间做运动。

我在培训和教学中用现代医学的理论对瑜伽减肥、塑身从心理、生理、生化几方面进行探析，现总结出瑜伽养生瘦体的方法和原理。

正确的呼吸方法

在现代生活中，因紧张或兴奋我们的呼吸常会感到急促。瑜伽提倡横隔膜式（胸、腹式）呼吸，速度愈慢愈好。

瑜伽呼吸方式的减肥原理：瑜伽的深呼吸运动能增加体内细胞的氧气吸收量，包括脂肪细胞，使得氧化作用增加而燃烧更多的脂肪细胞。

❶ 对大脑皮层和皮层下中枢、植物神经系统及心血管系统起到良好的调节作用，使控制食欲的脑部（摄食中枢）功能正常化，防止过度摄食。

❷ 按摩腹腔器官，实现对内脏活动的自我调节。如加强胃肠的蠕动及增强胰脏功能促进溶解脂肪的消化酵素分泌。

❸ 可使肌肉放松，加速全身血液循环，有利脂肪分解。

❹ 增强腹肌，祛除腹壁脂肪。

冥想

瑜伽是一种最自然的减肥良方，想吃就吃，想睡就睡，体力如常又快乐享瘦的减肥方式舍瑜伽之外无它。练习瑜伽之后感到艰辛的人我未曾听说过，而经过瑜伽的洗礼后获得身心平衡者甚多。因此，尝试过其他减肥方法或是美容体操无效后改练瑜伽的人一天比一天多。

说来瑜伽的减肥效果真是异常神奇，它是在练习者本身的自我"减肥方法"督促下配合体位法才得以成功，因此练习者的自我心理因素相当重要。

肥胖属心身性疾病。由于体态的臃肿、活动不方便、不美观，许多人易产生自卑感及负面情绪，如紧张、焦躁、恐惧、缺乏自信等。紧张及焦躁之时用进食、饮酒或使用镇静剂来使自己平静，不自觉地养成生活上的坏习惯。

瑜伽冥想法通过对精神的修炼令人学会控制自己的思想与行为，控制任何可能破坏减肥计划因素的产生：负面情绪、对食物的欲望、惰性……从心灵开始调节，从而从根本上克服减肥的天敌。

美国密歇根医科大学与加州大学共同研究发表的资料，曾掀起冥想风潮。各大医院用冥想的方法治疗精神焦虑、心脏病、高血压、糖尿病和肥胖等心身性疾病。据实验结果显示，冥想放松的效果是睡眠的三倍，并下结论说：“现代社会是弥漫压力的时代，如何使人体组织充分休息，应该与医疗有密切关系。”

冥想时大脑的生理生化活动表现：

1

脑电图上的α波活动增强，波幅增大，频率减慢，节律平稳，皮层各区域的α波趋向同步化。这是反映大脑皮层安静状态的波形，这种主动性内抑制状态有助于大脑功能的调节、恢复和改善，下丘脑垂体肾上腺轴系统会发生一系列效应性改变，从而显出整体性的影响。

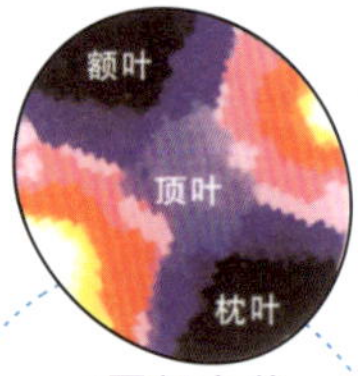

●冥想之前

●冥想之后

2

大脑高级神经中枢的某些神经介质的分泌增多，如5羟色胺、内啡肽等物质可使人精神振奋，情绪愉悦。

3

美国和德国科学家研究发现，冥想时人的呼吸、心跳减慢，血压降低，全身耗氧量降低，血氧饱和度达百分之百，大脑及内脏器官进入休息状态，PL和PDK4两种基因引发的冬眠基因可控制或“开关”人体内部机制，让进入冬眠的身体停止依赖碳水化合物，改以大量燃烧脂肪来产生能量。可见，冥想类似“人工冬眠”，对肥胖及其并发症的治疗功效令人惊叹。

瑜伽体位法

瑜伽为什么能够快速减肥呢？它并非魔术，瑜伽减肥在医学上是有其理由存在的。

瑜伽讲求全身的紧张和松弛相辅相成，而其呼吸及精神的集中有助于全身的均衡发展，这些是构成减肥的原动力，当然，不可忽视的另一要素是促成体内多种腺体的正常分泌机能。

比如，人体的喉咙正下方有一甲状腺器官。甲状腺主司身体的新陈代谢和调节功能，由该部位分泌出来的荷尔蒙被称为甲状腺荷尔蒙,它的分泌正常与否直接关系到人体的脂含量正常与否,当然这是一个十分复杂而又精密的生理过程,我们在此不作深入探讨。

基于这个原理，市面上出售的各种减肥药多半掺有甲状腺荷尔蒙促进物。但是，服用这类药物后，人体的新陈代谢不正常地提高，食物的分解功能转劣，反而会对身体造成不良影响。所以这类减肥药还是少吃为妙。

瑜伽体位法中有许多“肩膀倒立的姿势”，它能刺激松弛的甲状腺增加释放荷尔蒙，让体内新陈代谢机能旺盛，血液循环顺畅，更能提高心脏及肺脏机能。脂肪代谢也因练习瑜伽而增加，体内的脂肪会转换为肌肉与能量。这意味着在减少脂肪的同时，你也能得到较好的肌肉质地与较高的活力水平。

瑜伽体位法中有大量拉、伸、弯、扭、叠、倒立等独特的姿势，并强调每个姿势要保持一定长的时间，再配合深度的呼吸，所以能充分锻炼其他运动不可能锻炼到的部位，而整个看似静态的运动过程实际上已消耗大量的热量和脂肪。

瑜伽体位练习是一种静力运动，它不会像其他运动那样,在运动过后让人处于疲劳甚至虚脱的状态，反而让人感觉周身舒泰，全身微微发热,真是越练越想练。所以，很容易你就能将瑜伽长期坚持下去，从而稳住瘦身成果。很快你会发现皮肤紧实了，围度变小了，整个人变得容光焕发!

瑜伽是集医学、科学、哲学之大成。我们不仅是知性地、感性地而且要理性地去实践“它”。“健美的身体”不单是指锻炼出一个好身材，它还应当包括靓丽的肌肤、健康的体魄、充沛的精力等。瑜伽就是通过精神的修炼与身体的锻炼，配合正确的饮食及生活习惯来达到养生美体的目的。尝试用瑜伽的生活方式去照顾你的身体，聆听它、喜欢它、尊敬它、呵护它，它会以良好的运作来回报你。

Breath: Breathing to Lose Weight Fast

二 速效瘦身呼吸法

①两脚脚底并拢。

②两膝尽量向下，上半身尽量向上伸展。

③两臂尽量向上伸直，两手食指伸直其它手指弯曲。

④收紧小腹边扩胸边吸气。

⑤吸气的同时上半身向前倾倒腹部尽量下压。

⑥上半身倾倒到最大限度停止呼吸。

⑦当憋不住气时边吐气边抬起上半身两臂不要用力。

⑧起身呼吸五次后再重复此动作反复五至十次。

Rules:
My Seven Weight Losing Rules of Yoga

四 我的瑜伽瘦身七大戒律

很多爱美的女孩子，都会在瘦到目标之后就不再持续运动，结局是肉肉就这么一点一点地回笼了。因此，我将由多年教学经验融合而成的瘦身七大秘方教给大家，想要减重的人只要切实遵守这七大秘方，就能塑出并保持想要的线条。

秘方1 安全第一 | SAFETY FIRST

关于瘦身，绝对强调安全第一。很多人（尤其是女生）都会在广告诱惑或者想快速减肥的心态下，掏腰包去买一些成分不明的药物，或利用三两天进行猛烈运动，一心想瘦，却不考虑这些标榜快速瘦身的减肥药或强力运动会给自己的身体造成什么样的后果。过急过猛的减肥方式,身体上很多器官并不见得能负荷，光是肝功能就要非常注意，更别说是其他器官了。

瑜伽是一种自然疗法，绝对是世界上最安全的减肥方法。它讲究在自我能力范围内提高韧带的灵活性。并非将韧带无限拉长，而是循序渐进，决不能硬拉猛练，这样只会损害关节的软组织、韧带，产生相反的效果。所以练习时一定要注意安全，高难的动作尽力而为，适可而止。

秘方2 持之以恒 | PERSEVERANCE

不管你是正要决定减肥或是已经减肥成功，如果想要身材不变形，持之以恒地运动和注重饮食，是最好，也是最容易的方法。

不管是选择哪一种方式进行练习，持之以恒都是最重要的，要克服自己心里的障碍，让运动自然地成为生活中不可或缺的一部分。

瑜伽是一种持续性的柔韧性练习，可以收紧身体各部位的赘肉，从而使身材线条更美好，想要保持得好，就得持之以恒坚持下去。每天动个40分钟、1小时根本不算什么。而且，当你不知不觉养成习惯时，就算要你停止动，你也会觉得浑身不对劲。

秘方3

营养均衡|*NUTRITION*

现在市面上瘦身的产品太多了，除了外在的擦、涂、抹、拍之外，也有很多食谱教你怎样吃。只要是以健康为出发点，这些“教人怎样吃才会瘦”的食谱都有一定的效果，不过假如光是吃减肥食谱而没有注意到营养，那么即使是瘦，也瘦得不美。

瑜伽主张吃悦性食品，它们可以为人们提供足够的蛋白质和维生素。瑜伽文献称人的牙齿和消化管道是为处理素食而设计的，因此，无论您是从事何种职业，也无论您是否练习过瑜伽，我们向您推荐自然、健康的瑜伽饮食。当然，您不必着急勉强，也不必一步到位，只要大家谨记“吃得有方法、吃得有节制，让你的身体不会发出放弃减肥的信号”这个原则就行了。

হরে কৃষ্ণ হরে কৃষ্ণ কৃষ্ণ কৃষ্ণ হরে হরে রাম

秘方4

良好的生活习惯 | *HABITS*

根据调查分析：“35岁以后，几乎什么毛病都可能来了，荷尔蒙减少、骨质疏松、工作记忆减退。”

这是真的喔，很多人一过30，就发现自己的体力明显衰退，此时如果还不运动或者是生活习惯不良，在35岁的时候，将会比长期运动、生活作息有规律的人更容易生病。

不良的习惯包括咖啡、烟、酒、宵夜这些小节，因为瑜伽哲学认为这些都属于有刺激性或腐败性的毒物,尤其烟草兼其二者。它不仅使人过度兴奋而且还会破坏身体机能。如果把饮食中的咖啡、烟、酒、宵夜戒了，你会发觉思路更明晰、身体更平和。

关于睡眠，瑜伽强调科学有序的作息时间，建议最少不要低于8个小时，假如因为种种因素办不到，白天不妨补个眠。此外，睡眠时间多也不见得好，因为睡得太多，淀粉囤积在体内，久了也会成为肥肉，所以良好又规律的作息时间真的很重要。

通过瑜伽的练习，人的自我控制力通常都很强，能够抵制各种欲望，好习惯很容易就能养成，加油喔。

秘方5

多喝水 | *MUCH WATER*

水对于人体的新陈代谢非常有帮助，多喝水的人不但比较不会产生体臭，皮肤也会变得比较细，瑜伽文献称水可以消除内脏器官的污垢，我建议，每天最少喝2000毫升的水，如果没有办法这样子的话，最少也要1000毫升的水，最好是早上起来就先喝一杯水，对肠胃蠕动也很有帮助。

至于运动前后要怎么喝水最恰当呢？根据美国营养学会的资料，每次运动前，可以先喝120毫升的水；一旦开始运动之后，则采取每20分钟喝120毫升水的方式来进行；当运动结束后，想喝多少就可以喝多少。

虽然建议大家多喝水，不过有一种水叫做“阴阳水”（就是冷、热调在一起），这种喝法对身体并不是很好，所以请尽量不要用冷热水混调。

秘方6 建立积极向上的瑜伽人生观，争取旁人的支持 | *POSITIVE YOGA PHILOSOPHY*

决定减肥之后，你必须要对自己有信心，当然旁人的支持也是极其重要的，请找几位比较有人情味的朋友，要他们随时给你鼓励，而不是找那种会给你“吐槽”的朋友，不然，当你听到对方说：“啊！你已经做了那么多运动，还不是一样……”时，想必此刻的心情是很糟糕的。

除了找一些支持你的朋友之外，也可以将你的减肥想法告诉父母亲或另一半，试着以健康为由得到他们的支持，当父母说“我的女儿、儿子这样子运动很好！”时，你会对自己更有信心。不然，也可以找朋友或同学一起运动，也比较不会感到枯燥无味。

秘方7 维持体重的计划 | *SHAPE-KEEPING*

假如前面的6项秘方你都做到了，接下来唯一要实行的，就是维持你的体重计划。

比如说，你计划这个月要让自己瘦3公斤，那么就彻底地将目标放在心上，拼拼看这个月的“业绩”有没有办法达成。

那么，计划减肥的人至少要瘦多少才算有成绩呢？

一个月至少要瘦3公斤才算减肥。如果你说：“我只要瘦一两公斤就好”。那么大家恐怕还是看不出来你瘦了，因为光是排泄或是出汗都可能会到达1公斤以上，所以瘦下一、两公斤很可能是假性的！同样的，当你长胖个1公斤时，也可能是假性的，有时是因为水一喝多积在体内就重了。

对于一个有心减肥的人来说，最大的显著差异应该是3公斤，减了3公斤以上才算是真正地瘦下来。一两公斤都是假性的瘦，一点点不对劲就马上会胖回来。因此，强烈建议：请将减重目标至少设定在3公斤。只要你照着书中提到的方式来做，体重一定会直线下降！

“瑜伽乃自我的心路历程”

这句话绝非子虚乌有，只要您肯耐心练习，
成功后的喜悦将指日可待。

第 2 章

7日激动体验，
强效瑜伽体位激瘦锻炼

Seven Day's Exciting Experience,yoga Asanas for fitness

我给大家带来的这套具有突破性的“速效瘦身瑜伽运动组合”，是完全以生理学为依据，在生理学家、运动专家、医学专家和营养专家的指导下，再结合我多年的教学经验严格编选而成的。动作的难易搭配、训练的次数和级数、训练的时间、训练期间的饮食结构都配合人体的自然生理规律，完全克服极速瘦身有可能产生的不良反应。所编选的动作变化幅度大，运动频率高，可以运动到你平常完全不可能触及的各种部位，每一个动作都让你感受新奇，感受惊喜，彻底打破其他运动枯燥、难坚持的感觉，强力瘦身的同时，还能享受前所未有的乐趣。当然，每个人想瘦的部位都不尽相同，这套动作正是针对不同部位的塑形吧要求来组合的，可以满足你不同的要求，尽情雕塑你想完美的部位！

1. 速效瘦身瑜伽组合 Fast fitness yoga fabrication

A 热身运动 Warming Up

拜日式 SUN SALUTATION

①

②

1

呼气，双手合掌置于胸前，这种姿势对身心合一有很大的帮助。
（合掌：双手掌心紧紧平贴在一起，置于胸口，手肘向两侧张开。）

- 手肘向外张开
- 两腿并拢

2

吸气，整个身体向后仰，手臂上举伸直并贴在耳朵两侧，膝盖伸直。

- 手肘拉直
- 手臂贴在耳朵两侧
- 头轻轻向后仰
- 臀部往前推
- 膝盖伸直

3

吐气，慢慢把腰弯下去，双手碰地之后放在脚旁边。如果很难碰到地，可以让膝盖弯曲。

- 头朝膝盖内缩
- 手指、脚趾位于一直线上
- 双手平贴地面

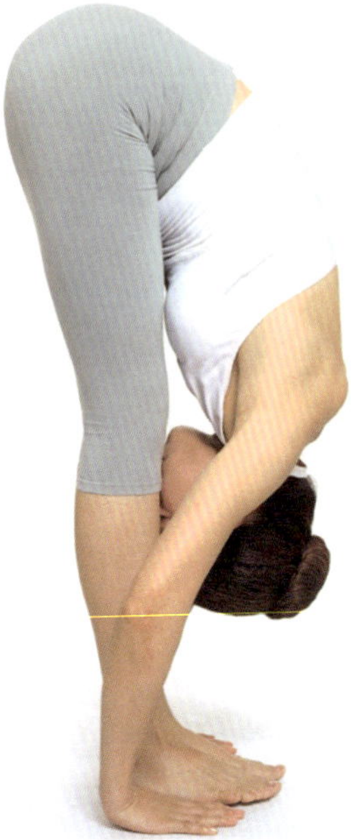

③

4

双手不动，吸气，右腿尽量往后伸。头尽量向上抬起。

- 提臀
- 头抬高
- 手仍然放在脚的两边

④

5

憋气，将左腿往后伸，跟右腿一样，脚趾顶着地面。此时身体应该呈一直线，像伏地挺身的姿势。

- 臀部不要翘起来
- 头不要垂下去
- 身体保持一直线

⑤

6

吐气，膝盖落在地板上，臀部勿下垂。身体保持不动，让胸部贴地并在手臂中间。额头贴地（初学者若觉得困难，可以让下巴也贴地）。

- 膝盖着地
- 胸部着地

⑥

7

吸气，身体往前滑动，直到髋部贴地。胸部及头往后仰，成眼镜蛇式。手掌不动，手肘微弯，肩膀下垂后仰，让颈部及肩膀完全放松。

- 肩膀放松
- 手肘微弯
- 双手平贴地面，手指并拢
- 臀部着地
- 膝盖伸直，两腿平行

⑦

8

吐气，脚趾往内收。手脚不动，慢慢把臀部往上提。脚跟着地，并保持膝盖伸直。头向下垂，置于双手手臂中间，成为“倒V”姿势。

- 手掌平贴于地
- 头放在手臂中间，眼睛看着脚
- 脚跟向下压（尽量着地）

⑧

⑨

9

吸气，左脚向前跨出，放在手的内侧，手指及脚趾成一直线。头抬高。此与动作4相同。

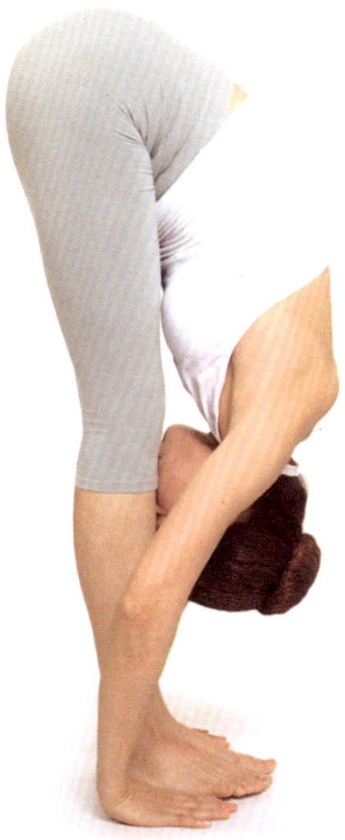

⑩

10

双手不动，边吐气边把右脚往前收，两脚靠拢，额头缩向膝盖。此与动作3同。

- 手指与脚趾成一直线
- 头朝膝盖收进来

11

吸气，双手慢慢举过头顶，置于耳朵两侧，上半身向后仰，全身重量集中在脚底。此与动作2同。

- 髋部往前推
- 膝盖伸直
- 胸部往前挺出去

12

吐气，放下手臂，回复站姿。两脚并拢，双手下垂于两侧。深吸一口气。

- 双手放松置于身体两侧
- 身体保持一直线
- 头和颈保持直立，但放松

曲影温馨提示

所有的瑜伽体位法都由拜日式开始，它包含12项姿式，是很好的暖身操，若刚开始无法达到示范标准，请勿操之过急。特别提醒：不必勉强自己，感到累就休息。

功效

使全身筋骨舒适，促进气血循环，消除脂肪，减肥瘦身，增加身体弹性与柔软度，也可改善骨质，使精神饱满，充满自信与愉悦，并可预防运动伤害。

B 手臂消脂术

Arm Lovely Curve

上臂是很容易堆积脂肪的地方，有些人明明不胖，上臂却肉肉的，或是好不容易减肥成功，手臂却仍然松松垮垮、前后摆荡，使手臂不够紧实。其实只要持之以恒地做瑜伽练习，这些都是可以解决的问题，相信不久后，无袖上衣将不是你心头最大的遗憾。

固肩式

TIGHTENING SHOULDERS

①

1

以金刚坐式跪坐。

②

2

吸气，双手置于头后方，手指互握，手肘尽量左右打开，扩胸，停留做深呼吸。

③

3

吸气，双手移向右侧(左手上、右手下)，吐气时右手用力往下拉紧左手，停留做深呼吸。

功效

能使僵硬的肩部获得松弛柔软，强化手臂、手部机能，提高免疫力。

鹤蝉式
CICADA

①

②

[1] 两腿分开蹲下，双手在身体前撑地。

[2] 抬起脚跟，双腿于双臂，外侧分开，膝盖抵住大臂外侧，可弯曲肘部。

③

[3] 吸气，上身前倾，将双脚下抬高地面，两膝夹紧手臂，靠双臂支撑住身体，自然地呼吸，眼向前看，尽量保持长久。

曲影温馨提示

此式稍有难度，练习时身体前放一个厚软垫，以免身体失去平稳，向前倒时造成损伤。

功效

加强手臂和手腕的力量，收紧臂部肌肉，强化平稳能力。

环绕肩部 CIRCLING SHOULDERS

①

②

1 站正，曲肘，手指触肩，用肘部带动肩关节做绕环运动。

• 前后各绕8次。

2 双肘上提，让手背相碰。再下压肘部，沉肩。

• 如此反复，共做8次。

细臂式
THINNING ARMS

①

②

1 跪坐，调整呼吸。

2 吸气，右手从头后抓住左肘。

3 呼气，左臂下压，保持几秒钟。

③

④

⑤

4 还原成双手抱肘。换边练习。

5 另一侧做完，还原成双手互抱肘，吸气，双臂用力向外伸展，双手依然抱肘。保持一会，自然呼吸。

6 呼气，双臂垂下，放松。

功效

收紧臂部肌肉，柔软灵活肩关节，预防肩周炎。

天线式
ANTENNA

①

②

1 跪坐，背部伸直，下颚收缩合掌。

2 缓慢吸气，将合掌的双手慢慢举高，双臂夹住耳朵，尽量向上伸展。慢慢吐气，放松双手的力量，手张开与肩同宽。看上方，意识集中于双手指尖。

③

3 一面吸气，一面由拇指至小指依序握拳，手下放至肩高度。头向后仰，挺胸呼吸。

4 双手交叉于背部，身体往前弯下，手举上方，吐气，将额头靠在地上，腰不可浮高，下颚突出，脊柱伸直，手臂尽量抬高。吸气，挺起上身，然后还原。

④

功效

调整自律神经，解除更年期烦躁，不安感等情绪不佳的症状。

蛇伸展 SNAKE EXTENSION

1 俯卧，双臂置于体侧。调整呼吸。

2 双手五指后交叉，绷直双臂，开肩扩胸，吸气，上身从地面抬起来，头部尽量后仰。

3 自然地呼吸，保持10~15秒。

4 呼气，上身落下还原。如此反复，共做5次。

功效

扩展胸部，增进深呼吸能力，伸展臂部、腹部肌肉，强化腰、背、臀肌。

手部运动 HAND SPORTS

①

1

双手打开与肩平行，握拳，手腕向前转十圈，再向后转十圈。

②

2

接着头向前俯，下巴贴近胸部，手臂伸直掌心向前转，呼气停留十秒。

③

3

身体回正，挺胸，头向后仰，手臂伸直，掌心向后转，吐气停留十秒，反复练习三次。

功效

灵活手腕，手指关节，消除手臂脂肪。

树木式 TREE

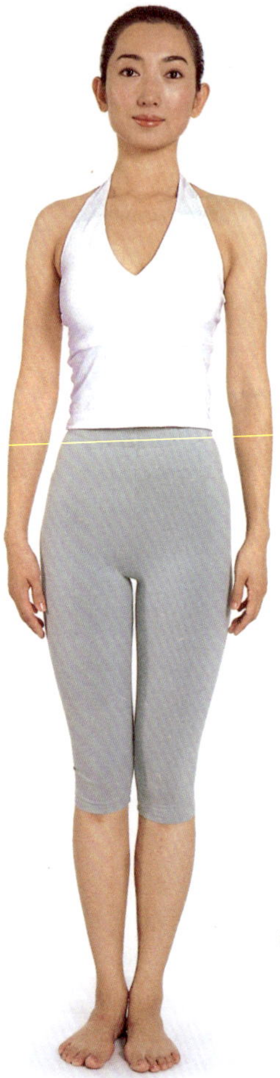

①

②

1 站正，做深呼吸。

2 吸气，将右脚掌放置在左大腿上，吐气。

③

④

3 4 吸气，双手合掌放在头上方，手肘打开，停留数秒，做深呼吸。

5 还原，放松调息，换脚再做一次。

曲影温馨提示

配合顺畅的呼吸与意识力是很重要的。练习时若有重心不稳的现象，可暂做止息，以帮助自己站立得更稳，一旦重心稳住后，要注意保持顺畅的呼吸。

功效

可增加平衡感，将身体线条修饰均匀，使松弛的手臂部变得紧实。

C 紧急瘦腰法

Imminence reducing grease

玲珑有致的腰部曲线，是上天赐予女性的恩宠；不过常会因为久坐、少运动或贪嘴，而使线条“截弯取直”，以致魅力尽失、性感指数大滑落，身材也就在无形中打一个大折扣。幸亏小腹肌肉最松软，这个部位也是瘦身最容易看到成效的地方，通过练习瑜伽的腰部练习，轻轻松松去除腹部脂肪赘肉，让腹肌越来越紧实有力，小腹想要不瘦也难。赶快跟着动起来，不久之后你就会摇身一变成为“小腰精”啦！

飞机式 Airplane

①

1

趴下，额头着地，双手左右打开，双脚亦左右打开，做深呼吸。

2

吸气，头、手、脚同时离地，呼气，尽力向上举高，且停留数秒，做深呼吸。

②

3

缓慢还原，调息。

曲影温馨提示

练习此式，当手脚向上举高时，手肘及膝盖需保持伸直，且停留做深呼吸时应同时将肛门紧缩，手脚用力向上，让全身肌肉都紧张，再藉由还原放松达一紧一松之感觉。

功效

可促进全身血液循环，促进新陈代谢，紧实全身肌肉，消除腹部赘肉及胀气。

腰转动式 Spinal twist

1 双腿分开，略比肩宽，吸气，双臂上伸，五指交叉。

2 呼气，上身慢慢前倾至同双腿垂直，后背伸直。

③

3 吸气，身体向左转，保持后背平直，双膝绷直，双脚固定不动。

④

4 吸气，身体向右转。

功效

紧缩腰部骨肉，按摩腹部内脏，改善身体僵硬及腰痛，提高活力。

滑翔式
GLIDER

①

1 坐正，腰背挺直，做深呼吸。

②

2 吸气，双膝弯曲，双手左右打开，吐气。

③

3 吸气，双脚离地，举起小腿，让膝盖、小腿、脚板与地板成平行一直线。吐气，腰背挺直，停留做深呼吸。

4 缓慢还原，调息。

曲影温馨提示

要做到有很辛苦的感觉，以及很幸福的舒畅感喔！动作完成后，意念放在腹部，尽自己的体力施力，并勉强自己多停留几秒，让腹部、腰部多用点力，对燃烧腹部脂肪更有效果。

功效

训练耐力与平衡感，增强体力、改善体质，消除腰酸背痛，加强专注力及提高耐力。

手枕式 LYING ON SIDE

1 侧躺，左手托住头部，右手置于胸前地板，将身体重心稳住，做深呼吸。

2 吸气，双脚同时离地向上方举高，呼气停留数秒，做深呼吸。

3 还原，换边做。

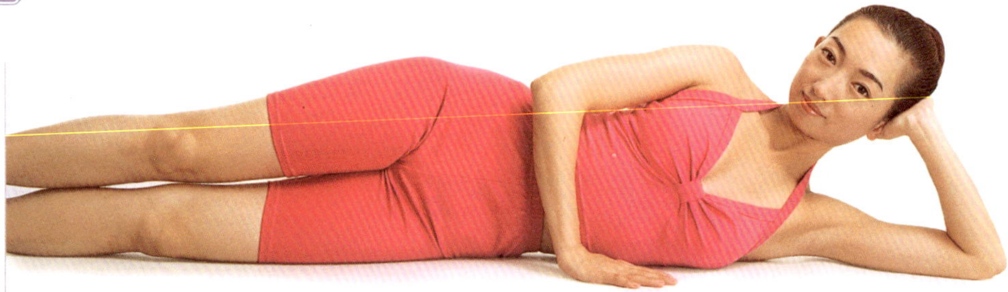

①

②

曲影温馨提示

练习此式时，侧躺应尽力将身体保持成一直线，双脚举高至侧腰部，有酸痛感，体力足够的话可多停留数秒，功效会更佳，但切记不必勉强施行。

功效

此姿势可刺激侧腰来强化腰力，预防腰酸背痛现象，同时可强化肾脏功能及消除腰、腹部之赘肉，达到缩腹细腰之功效。

英雄式
HERO

①

1

双脚并拢站好，左脚向前跨一大步，右脚向后伸直，脚尖踮起踩稳，重心放在左脚，膝盖弯曲呈直角线，调息预备。

②

③

2 双手张开与肩同高，身体向左转，眼睛看左手，停留做五次腹式呼吸。

3 身体回正，身体再向右转，眼睛看右手，停留做五次呼吸。

4

身体还原，双手合掌，吸气时手臂伸直向上举起，身体向后倾，头往后仰，眼睛看向天花板，挺胸，呼气，停留十秒。

④

5

手放下摆在身体两侧呈45度，停留十秒。

6

手还原，身体回到step1的姿势，调息一下，换脚练习，左右脚反复练习三次。

⑤

曲影温馨提示

1. 弯曲的膝盖尽可能保持直角，臀部压低与大腿膝盖同高，身体重心抓稳。
2. 停留时意念集中在伸展的大腿内侧及下盘，尽量去感受大腿被伸展得又酸又紧的感觉，想象腿部线条越来越美了。
3. 瑜伽的英雄式有一点难度，初学者不妨只练习step1的动作，只要保持上半身挺直，将重心放在下盘，时间停留越久越能锻炼双腿的耐力。

功效

瑜伽的英雄式有点类似中国武术中的蹲马步，对锻炼下盘非常有帮助。常练习可美化大腿线条，改善腰痛，矫正因姿势不当引起的背椎扭曲。

仰卧起坐式 SIT-UP

1 平躺，双手抱头，双腿曲膝，做深呼吸。

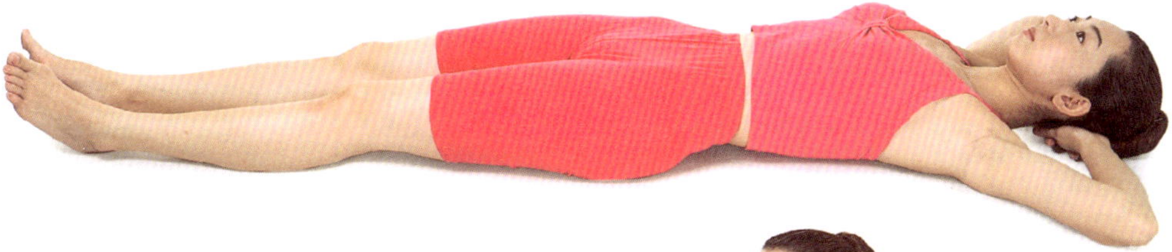

①

②

2 吸气，腹肌用力，使身体坐起呼气，身体缓慢躺回地上，来回重复做五次。

3 还原，调息。

曲影温馨提示

仰卧起坐用的力量来自腰与腹部，如果腰、腹肌力量不够，可将两手伸直来练习，别气馁，即使您只能做到1~2次；若是连做5次都不觉累，那可使次数再增加些。总之是以您个人的体力来设定次数，只要做到腰腹部有用力感即会达到功效。

功效

可使松弛的腹部肌肉重新拾回弹性，并可预防脂肪沉淀于腹部，同时强化腰力，预防腰酸背痛。

鸽子式
PIGEON

1 坐正，左腿跟拉靠近会阴处，右腿往右外侧伸直，做深呼吸。

2 将右脚拉起，置右脚尖于右手肘处。

3 吸气，上身微向左转，左手绕过头于后方与右手互握，脸朝上停留数秒，做深呼吸。

4 缓慢还原，调息。

曲影温馨提示

练习此式时，可能您的腿会非常的紧，而手无法使您完成如图③个姿势，但别气馁，您可以先练习到图②的阶段即可，再持之以恒、渐进尝试图③之作法。切记！不可勉强。

功效

减少腰部脂肪，纤美腰形，可让宽松的腰围变小，同时因刺激到膝部、腰部、肩部，能柔软各关节，雕塑身材使身体健康，身材凹凸有致。

扭转腰式 TWISTING THE WAIST

①

②

1

平躺地上，双手左右平伸，双膝弯曲，做深呼吸。

2

吸气，双膝往左侧扭转，呼气，吸气回中间，呼气双膝再往右侧扭转腰部，左右扭转重复做三次。

3

还原，调息。

曲影温馨提示

两手张开附于地板上，当膝盖往侧边扭转腰部时，肩膀应尽量附着在地板上，同时扭转到腰围、腰部，要尽量放松。

功效

柔软腰围，达细腰之功效，亦可预防腰围赘肉产生，有减肥功效。

D 臀部魔力塑翘臀

Hip UP UP Beautiful

有人为臀部大而烦恼，有人则为臀部扁而伤脑筋。臀部不仅是身体曲线中重要的一环，也是一个透露年龄的部位。臀部下垂除了不雅观，更大的缺点是，会使全身重量落在双脚，站立或走路都容易造成脚部疲劳，甚至腰痛，瑜伽的臀部练习可改善臀部扁平的问题，只要持续锻炼，不但可改善下围肥胖，还能重新雕塑出美丽浑圆的臀型。

抬臂式 ARMS LIFTING

1 平躺，双手向上伸直，膝盖张开，脚底贴紧靠近会阴部，调息预备。

①

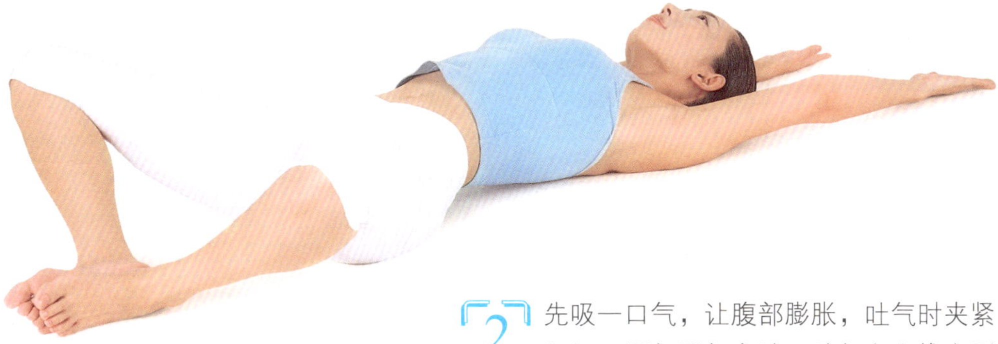

2 先吸一口气，让腹部膨胀，吐气时夹紧肛门，腰部臀部离地，臂部向上推高到极限时自然吸吐，停留做5次腹式呼吸。

②

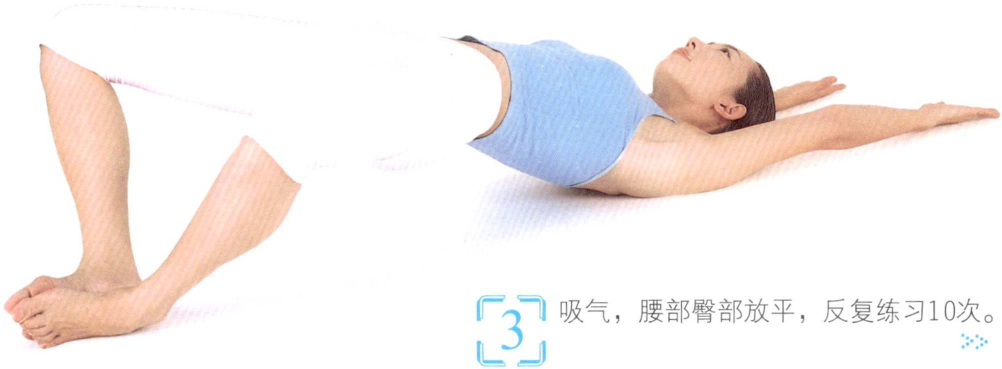

3 吸气，腰部臀部放平，反复练习10次。

曲影温馨提示

a. 臂部抬高时，肩膀不要滑动，膝盖尽量打开，脚跟靠近臀部，脚掌贴紧，即可让臀部再向上推高一点。

b. 臀部抬高停留时，注意感受臀部肌肉酸酸紧紧的感觉，意念集中在后腰臀部，心中想着“我要让臀部更紧实”。

功效

这个动作有紧缩臀部肌肉及提肛的作用，可美化臀部腿部线条，避免臀部下垂。强化骨盘及脊椎的力量，女性经常练习可避免骨盆下垂、松弛，并预防下围发胖。

后抬腿式 LEGS LIFTING BACK

1 俯卧在地板或床上，手肘张开，手掌交替放在下巴处，双脚伸直调息预备。

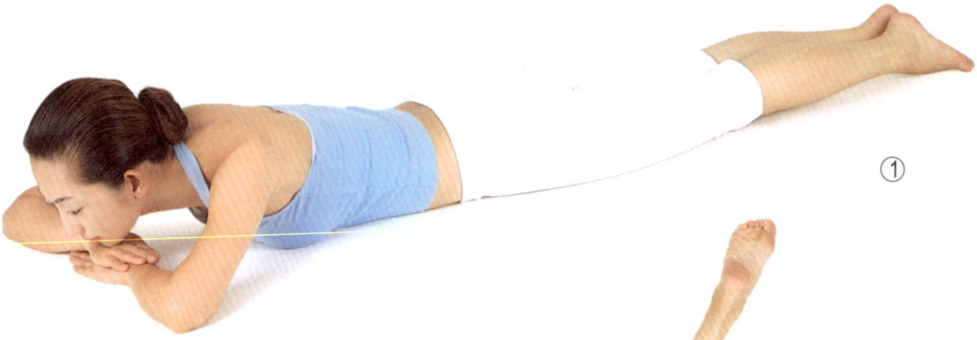

①

2 吸气到腹部，吐时将右脚伸直抬高，停留一会。换边，右脚放平，换左脚伸直抬高。

②

3 身体放平，双脚弯曲，腹部稍稍悬空，调息预备。

③

4 右脚伸直抬高，以弯曲的左脚协助，让左脚再往上抬高，左脚掌贴紧右膝支撑，停留5次做腹式呼吸。

5 左右脚放下，调息一下，换边练习，两边反复练习3次。

④

功效

锻炼臀部肌肉，让臀部坚实具有弹性。

下蹲式 SQUAT

①

1 双脚打开比肩略宽，双手五指体前交叉，放松双肩，挺直后背，调整呼吸。

②

2 吸气后，在缓缓呼气的同时，身体慢慢下蹲30厘米的距离。

③

3 吸气，直立还原。

④

4 呼气，再慢慢下蹲60厘米的距离。

⑤

⑥

5 吸气，直立还原。

6 呼气，完全蹲到自己最大限度。反复做5次。

功效

刺激脊椎和中枢神经，紧实臀肌，消除臀部多余赘肉，提高身体机能。

舞王式 DANCING KING

①

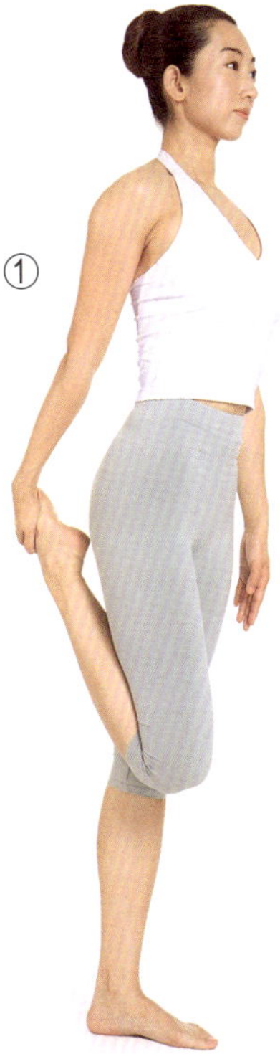

②

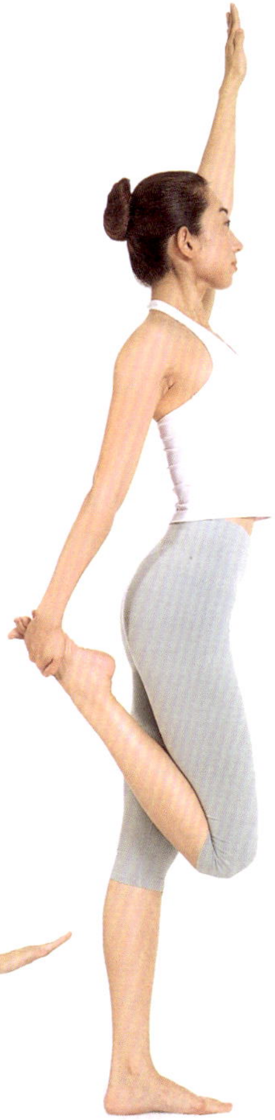

1 双脚并拢站好，右脚弯曲，右手握住右脚踝，让脚跟尽量贴近臀部，调息预备。

2 左手向上伸直靠近左耳，眼睛注视前方一定点，维持平衡。

③

3 身体缓缓向前倾，右手顺势拉起右脚，头、脊椎到手臂呈一直线，并与地面平行，保持呼吸。

4 慢慢呼气，身体回正，放下左手左脚，调息一下，换右脚练习，左右反复练习3次。

功效

锻炼臀部肌肉，让臀部坚实具有弹性。

侧提腿式 LEGS SIDE LIFTING

①

1 跪立在地面上，调整呼吸，双手打开与肩同宽，手掌放于地面上，使手脚撑稳身体重心。

②

2 吸气，左腿向左侧打开伸直，与地面平行，脚与臀部同高，吐气，停留一会做深呼吸，换边练习。

功效

强化双腿，增加肺力，亦可美化臀部线条、防止臀部下垂。

猫的变形式 THE DISTORTION OF CATLIKE FORM

1 跪姿，以爬行的姿势，把双手完全伸直，自然呼吸。

①

②

2 交叠双手，手心向下，并贴在手背上，双肘向外张开，胸部着地，脚尖踮起。

3 吸气后意识集中在丹田，边吐气边把腰缓慢倒向左侧，而意识则转移至右侧肌。直至左臀快触地时，控制一会，直到吐尽气时再放松，吸气还原至②。以同样方式吐气把腰倒向右侧，左右交换做5遍后俯卧大休息。

功效

美化臀形，使臀部肌肉紧实，浑圆富有弹性。

桥式 SETHU BANTHASAN

①

1 平躺地上，双膝弯曲，双手掌撑于腰部，做深呼吸。

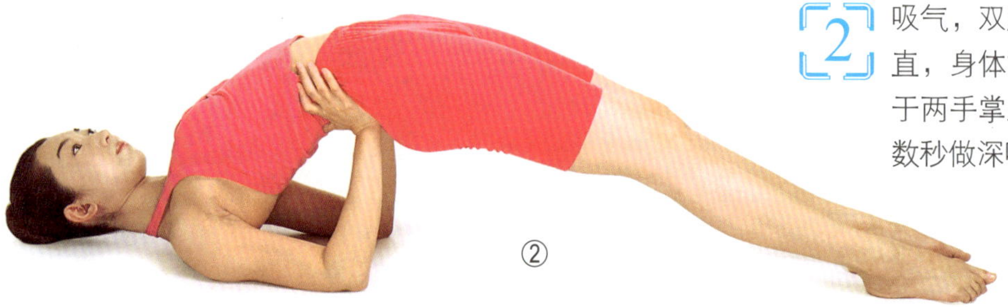

②

2 吸气，双脚慢慢伸直，身体重心置放于两手掌上，停留数秒做深呼吸。

3 还原，调息。

曲影温馨提示

当图2的动作停留时，除了需保持顺畅的呼吸外，也需将肛门收缩、臀肌夹紧来练习。

功效

防止臀部肌肉的松弛，美化臀形，消除多余的赘肉。

蝗虫式 LOCUST

1 趴在地面上，下颚着地，双手放于身体两侧，双脚打开与肩同宽。

①

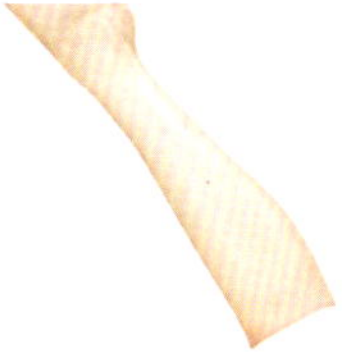

2 双手握拳，放于下腹部吸气，双腿离地向上举高，额头着地，停留一会做深呼吸。

②

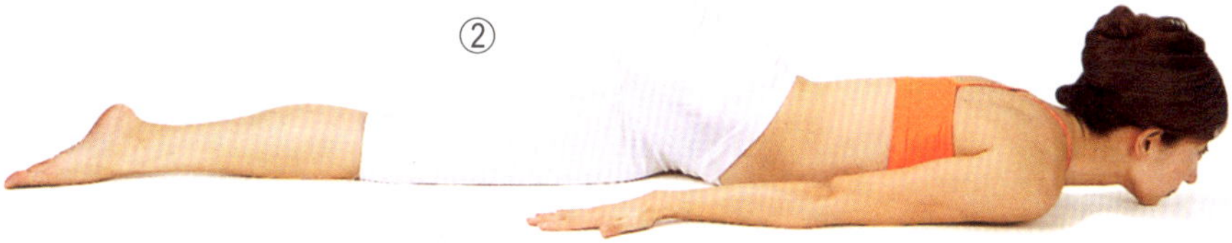

3 双腿慢慢还原，放松，调息。重复练习

③

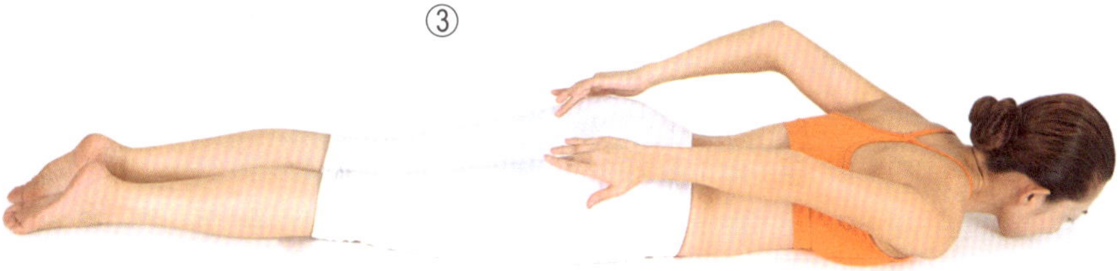

功效

紧缩臀部、大腿肌肉，美化臀部，腿部线条，并预防臀肌下垂。

E 玉腿减脂招

Fitness Legs & Plan

自从女人把长裙改为稍短的裙子以后，腿部的曲线就成了一双腿是否美丽的标准。所谓的富于曲线美的腿，必须是健康而不知疲劳的腿才行。同时必须挺直，大腿及小腿必须有适度的肉，在脚脖子必须细而紧绷，动作起来必须灵活才行。腿是人的第二个心脏，维持大腿健康纤美，就能维持全身良好机能；而腿也是美人的第二张脸，漂亮的腿部，总是能一下子就吸引人们的目光，况且腿的问题，只要下决心全方位练习，都不会太难以解决，还等什么？赶快行动吧！

剪刀式 SCISSORS

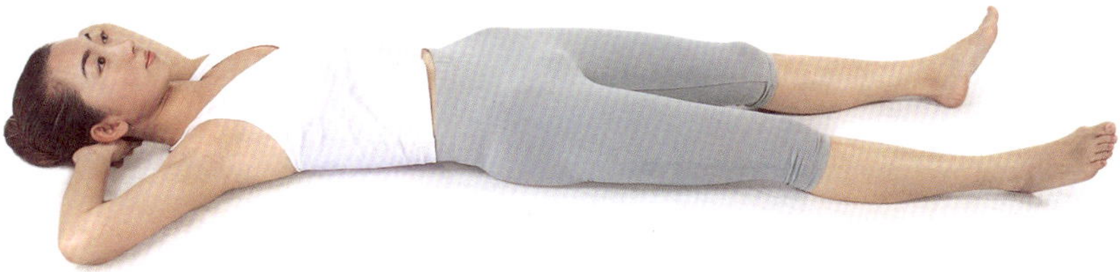

①

1 平躺地上，双手抱头，做深呼吸。

2 吸气双脚举高约45度，呼气。

②

3 吸气双脚左右打开，配合呼吸左右来回数次。缓慢还原，调息。

③

曲影温馨提示

双脚离地约45度左右，双膝尽力伸直，左右打开及并拢时保持膝盖伸直不弯曲，若体力不勉强做，但每回均要做到腹部和腿部有因用力而产生肌肉紧实的酸痛感才行，还原后应将用力部位完全放松来缓和，如此做动作时的紧张及还原时的放松，一紧一松之下功效会很显著。

功效

主要作用于腰腹部及腿部，可消除腹部、腿部多余赘肉，增加腰力，强化腹肌弹力。

踩单车式 BICYCLING

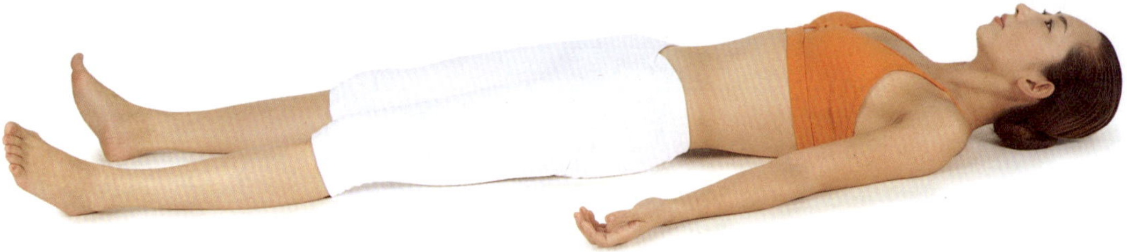

①

1 平躺在地上。

2 吸气，双脚离地朝向天花板，吐气。

②

3 吸气，臀部离开地板，双手撑住腰，将身体重心放在双手上，停留做深呼吸。

4 配合有节奏的呼吸，双脚以踩脚踏车的方式上下踩动。

5 缓慢还原，调息。

③ ④

曲影温馨提示

意念放在双腿上，踩动时要想象自己如同在单车上踩动踏板使车前进一般，加油地练出美美的腿喔！

功效

可美化腿部线条，消除大腿赘肉，改善小腿曲线，促进血液循环，永葆青春。

收腹举腿式 LIFTING LEGS WITH ABDOMEN SHRINKING

1 双腿伸直并坐正，身体向后倾，手肘弯曲着地，双手放在臀部外侧，调息预备。

①

②

2 吸气，两脚伸直离地约30度，呼气，停留10秒。

3 吸气，左脚抬高90度，右脚离地约5公分，呼气，停留10秒。

③

4 换右脚抬高90度，左脚离地，停留10秒。接着，左右脚上下摆动，自然吸吐，直到疲累了，脚再放下。

④

⑤

5 吸气，双脚并拢上下垂直摆动，直到腹部有点疼痛，无法再忍受时，脚再放下。

6 身体躺平，双手拍拍腹部，让又疼又累的腹部肌肉放松一下；每天反复练习3次。

曲影温馨提示

靠手肘支撑，上半身要尽量挺直，不可弯腰驼背，利用腹肌支撑，让双脚上下摆动。脚抬高及放下时，动作越慢功效越好，停留时收缩小腹意念集中在腹部。双脚上下摆动时，注意将呼吸调顺，千万不可憋气，以免出现头昏胸闷等不适症状，如果感觉吃力，赶快平躺休息。

功效

经常练习可消除腹部赘肉，强化腹肌及腰力。可美化腿部线条，促进下半身血液循环。

T平衡式 T BALANCE

①

②

1 开立，左腿在前，调整呼吸。吸气，双手合十举过头顶，伸直手臂。

2 呼气，同时手臂和上身躯干缓缓地前倾到同地面平行的高度，同时把右腿也抬到此高度。保持20秒，自然地呼吸。

3 还原后，换腿再做。左右各做3次。

功效

增强腿部和腹部肌肉力量，收紧臀部肌肉，增进脊柱弹性，修长腿部线条。

跪姿举腿式 KNEELING AND LIFTING LEGS

1 吸气，身体趴跪在运动垫上，双手手心向下、手肘与左膝盖弯曲90度，贴在运动垫上。右腿伸直，脚尖点在地上。

①

2 吸气，将伸直的右腿由地面往上抬高。注意不要有脊椎往下凹陷、肚子往前凸的现象产生。脚尖由地面抬高为一次标准动作，请做8次。

②

功效

臀部与腿部的线条雕塑是息息相关的，在做臀腿下半身运动时，可以让你在短时间内，达到翘臀及结实腿部的功能，并可节省运动的时间。

仰卧举腿式 LYING WITH LEGS LIFTING

1 仰卧，调整呼吸。

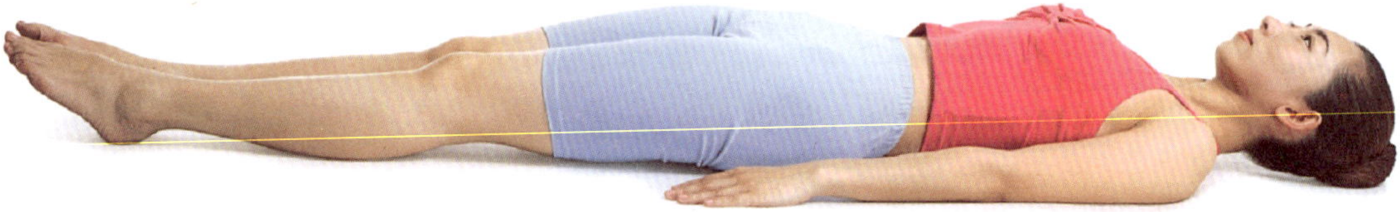

①

2 吸气，慢慢抬起双腿，离地约30厘米，自然呼吸，保持10~20秒。

②

③

3 吸气，再向上抬高双腿离地约60厘米，自然呼吸，保持10~20秒。

4 吸气，再向上抬双腿直到它们垂直于地面为止，自然呼吸，保持10~20秒。

5 慢慢让双腿落下还原。如此反复，共做6次。

功效

增强腹肌和腿肌力量，减腹部及腿部脂肪，美化腿部曲线。

④

牵引腿肚式 DRAWING CALF

①

1 平躺于地，放松做深呼吸。

2 吸气，双脚举高90度，膝盖伸直。

3 吐气，足尖勾回，停留5秒。

4 吸气，双脚脚尖伸直，吐气，停留5秒。

5 脚尖左右勾回与伸直，来回做5秒钟。

6 还原，放松小腿，调息。

②

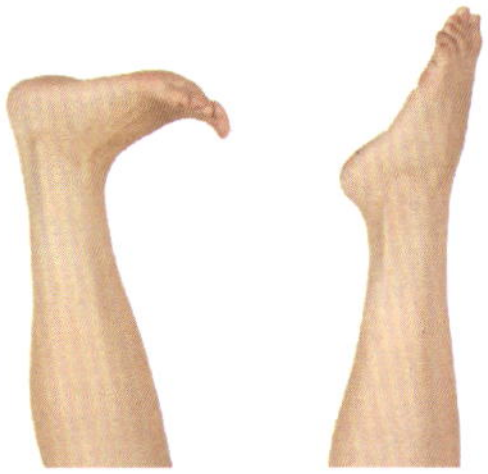
③ ④

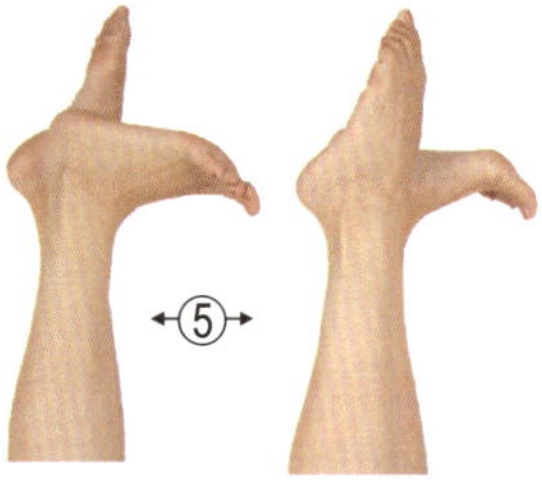
⑤

曲影温馨提示

每天练习3～5回，每回10秒钟以上。此动作强力伸展小腿肚，因此脚尖伸直与勾回的力量是重点，要一直反复操练到小腿有酸痛感才会有效。

功效

可消除腿部胀气，预防腿部静脉栓塞，也可美化小腿曲线，促进下半身血液循环，且可预防腿肚抽筋。

半蹲式
HALF SQUAT

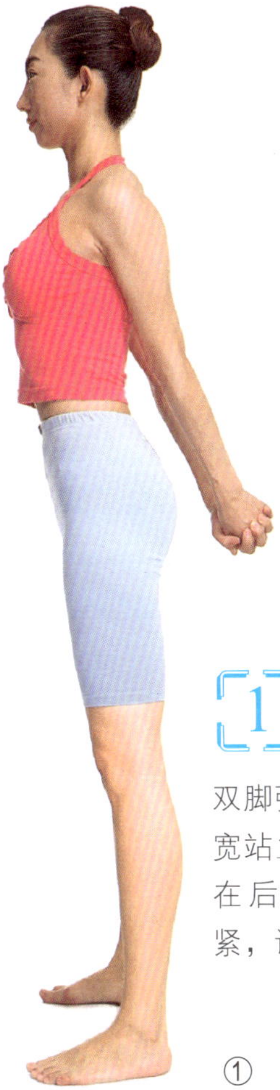

1

双脚张开约与肩膀同宽站立，挺胸，双手在后，手指交叉握紧，调息预备。

①

2

上半身维持挺直，呼气时膝盖弯曲，双脚慢慢向下蹲，大腿逐渐靠拢，直到两膝盖并拢，停留做5次腹式呼吸。

②

曲影温馨提示

下蹲时注意身体不可往前倾，把力量全放于双腿处，来增加腿力及承受力。

功效

促进血液循环和新陈代谢，强化腿力，紧实腿部肌肉，柔软膝盖关节。

2. 配合瑜伽的最佳有氧运动组合

The best set of acrobics matching yoga

如果你只是注重减肥，而忽略了塑身的重要性，一不小心减成了直筒身材，那么你即使瘦身成功，也一样毫无美感可言。想要正确瘦身，就要选择那些能燃烧体内脂肪，又不会降低肌肉量的减重法。所以为了瘦身后秀出魅力十足的曲线，你必须下一点功夫的喔！

瑜伽许多动作通常在于控制性，强化腺体，使之刺激甲状腺，促进荷尔蒙正常分泌，让体内新陈代谢顺畅，从而达到减重目的，在此基础上配合一些有氧运动组合效果将更佳，有氧运动是一种解决改善能量进出平衡的方程式，重点在于，连续性，对大肌肉群有其效果，不仅让脂肪的新陈代谢可以高能量的消耗分解，而且可以促进理想血压的反应，及新血管的体适能。下面给大家介绍的体操本来只有奥运选手级的人才会使用，但现在已经改良成人人都能轻松学成并乐在其中的运动了。这套操能加速排除存在深层肌肉中的“老废物质”，让抗氧的负荷量变强，这样可以得到更有效率的瘦身效果。

美腿消脂瘦身运动组合 TURN GREASE

以下这套运动组合，通过腿部的伸展、弯曲等动作，充分锻炼腿部肌肉，以消除大腿内侧赘肉、紧实小腿肌肉，达到强化腰腹部力量、修长腿部线条、美化下半身曲线的目的。轻松愉悦的7日美腿术，你没有理由不试试看！

①

1 上半身平躺于地面上，双手放在膝盖内侧，弯曲并拢双腿，吸气。

②

2 利用双手及双脚的力量，尽量将双腿向外伸展，吐气，还原，连续8次。

3 双腿下落屈膝并拢，脚掌着地，双手放于身体两侧。抬臀，提起左腿与地面平行。

③

4 将左腿向旁打开，控制一会。

④

5 收回，将腿向上伸直。
换边练习。

⑤

6 还原，平躺地面。
屈膝并拢。

⑥

⑦

7

双腿慢慢地上举呈60度，吸一口气，控制30秒。

⑧

8

将双腿左右打开，尽可能地伸展大腿内侧的肌肉，控制一会，然后慢慢并拢。

9

双腿放下，起身，双手支撑在背后。

⑨

10

双腿屈膝，靠近胸前，腿部肌肉绷紧。

⑩

11

伸直双腿，呈30度，控制10秒，上下伸收5次。

⑪

功效

消除下半身多余赘肉，强化腰腹部力量，伸展并修长腿部线条，美化身体曲线。

摆脱“西洋梨”塑体运动组合 GET RID OF “WESTERN PEAR”

下半身的腰、腹、臀、大腿脂肪分布较多是许多人心中的痛，这种下半身肥胖的体型也称为“西洋梨型”肥胖，东方MM，尤其是产后的东方MM，大部分都属于这种体型。“西洋梨型”的身材，不仅瘦得慢，而且塑形更需找对合适的运动才能见效。

下面这组运动可以充分锻炼臀部、腹部、大腿根部肌肉，可达到平滑小腹、激瘦腰部、紧缩臀部、修长腿部的效果。

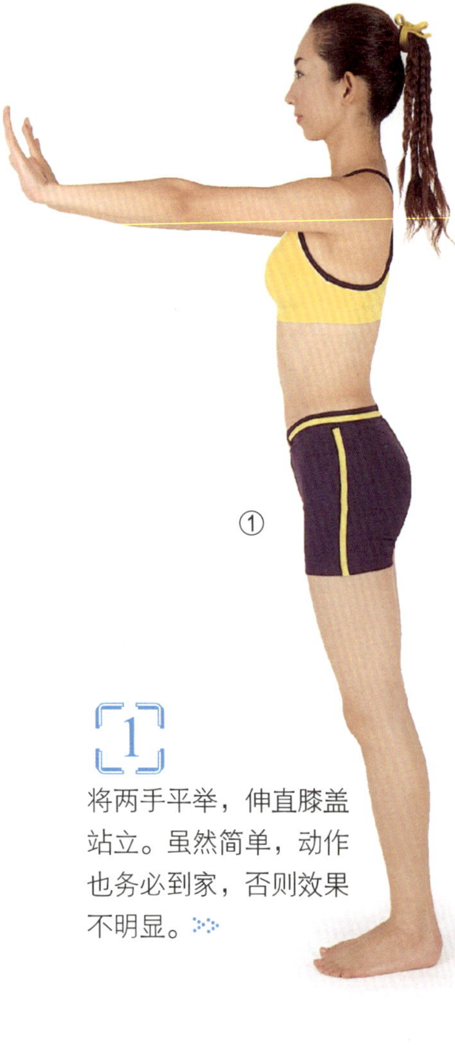

①

②

1

将两手平举，伸直膝盖站立。虽然简单，动作也务必到家，否则效果不明显。

2

伸直膝盖，脚跟向上抬起。

③

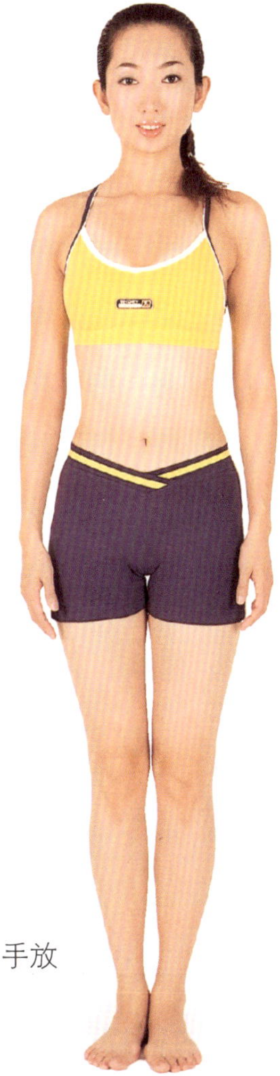

④

3

脚跟放下。

4

收腹，挺胸，双手放于体侧。

⑤

5 将手臂平举，左腿向旁打开45度。

6 换边练习，紧缩大腿内侧肌肉。

⑥

⑦

⑧

7 收回，摆动手臂，脚原地踏步。

8 抬高右腿呈90度，手臂左右摆动。

⑨

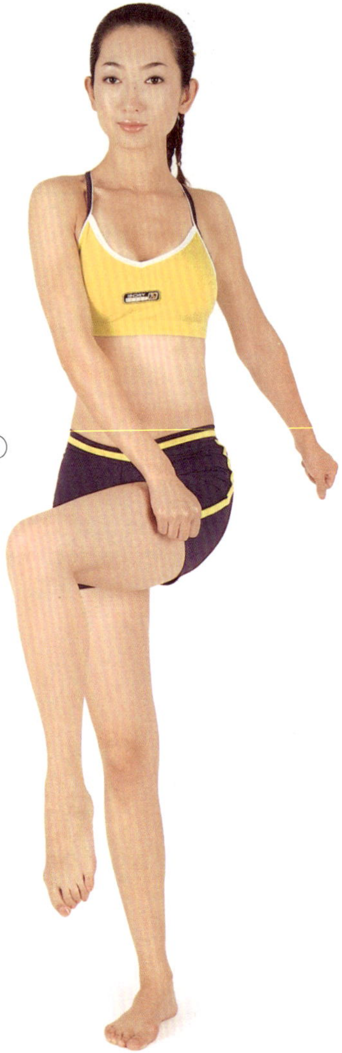

⑩

9 同样动作换边交替练习8次。

10 两手臂张开平举，保持上半身挺直，弯曲膝盖向下半蹲，练习10次。

⑪

⑫

11 双手抚着两大腿，将腰部向左扭动。

12 换边将腰部向右扭动。左右交替练习10次。

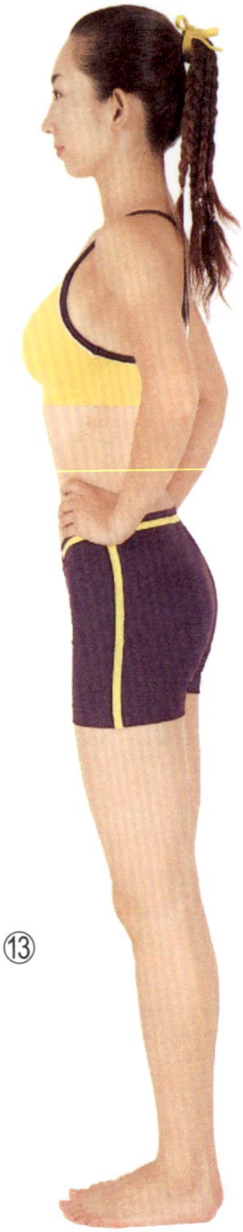

⑬

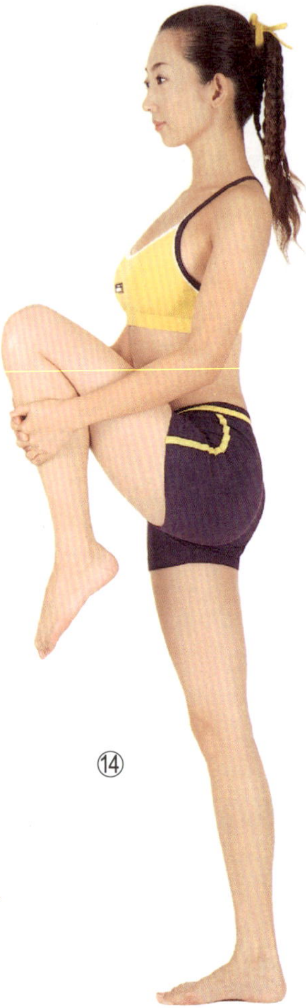

⑭

13 身体直立，双手叉腰。

14 提起左腿，双手抱住小腿处，尽量靠近胸前，控制一会。

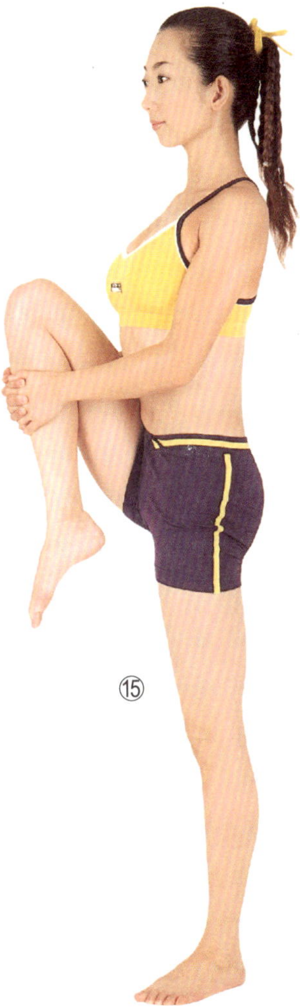

⑮

⑯

⑰

⑱

15 换边练习。

16 17 左腿弯曲，脚尖着地，顺时针360度转8圈，逆时针转8圈。换边练习。

18 左腿向后退一大步，前脚掌着地，右腿弯曲呈90度，双手放在右膝处，上下压腿。练习10次。

功效

减少腿、腹部脂肪，增加脚踝力量及大腿前侧力量，伸展腿筋，灵活踝关节。

紧急恢复！全身综合锻炼 EMERGENCY AND SYNTHETIC SPORTS

过几天就要赴一场浪漫约会了，却没有一幅小蛮腰令拥抱变得更有感觉；婚期逼近的准新娘，那多出的几公斤肉，使得春天就买好的婚纱怎么也套不进去……还有节假日无节制SHOPING、PARTY、美食、赖床后的身材走样……想紧急恢复美好身材吗？别着急，我现在就传授给你经过精心编排的“临时抱佛脚”速成有氧运动招数，通过对胸部、腰部、臀部、腿部全身几个重点部位的综合锻炼来达到快速美体的目的。与速效瘦身瑜伽配合得当，短短的几天就能迅速减脂，恢复理想体态。

①

②

③

1 双脚分开，收腹挺胸站好，两手放于盆骨部位吸气，收紧臀部。

2 3 收紧臀部，右手握拳向后打开，臀部向右边摆动。换手练习。

④
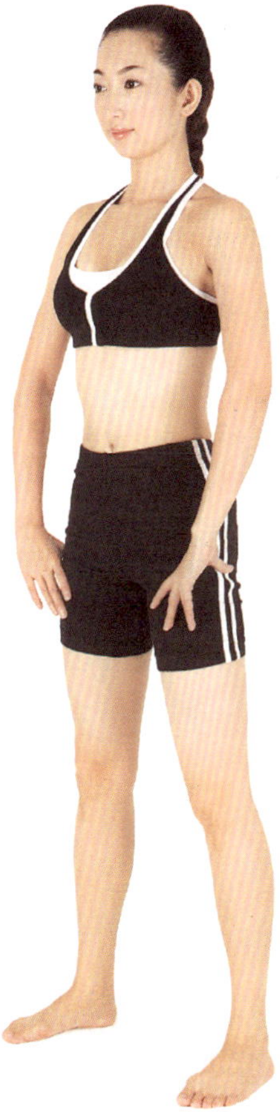

⑤

⑥

4

收回，身体站立。

5

双手叉腰，直立。

6

右手扶住右小腿处侧，左手插腰，臀向左摆动。

⑦

⑧

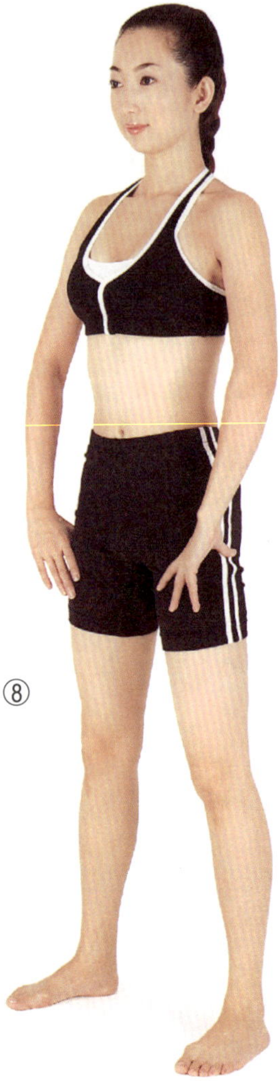

7 换方向练习。

8 双手扶胯，直立。

⑨

⑩

9 左腿弯曲，右手向左方伸展，将臀部向右边抬高。

10 换方向练习。

⑪

⑫

11 右手向左前方握拳伸展。

12 换方向练习。

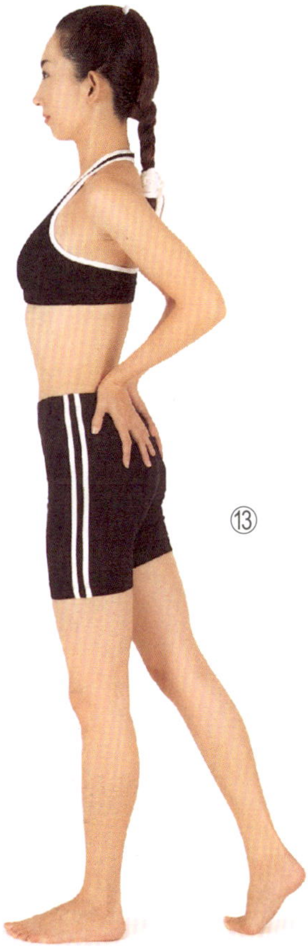

⑬

⑭

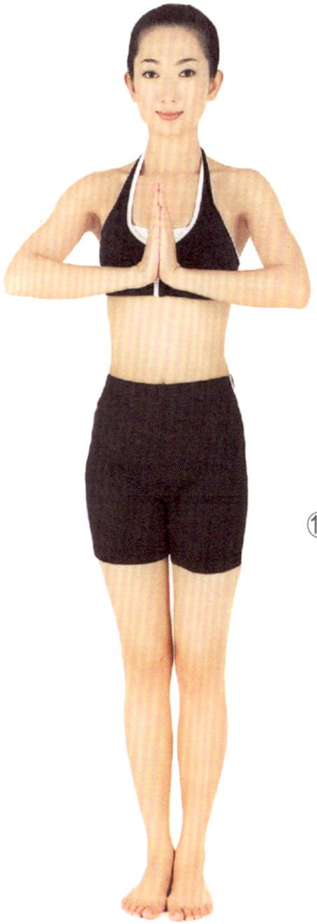

⑮

13 14

将腿收回，直立，双手按住臀部，右腿向后伸展。换方向练习。

15

直立，双手合十摆在胸前。

⑯ ⑰

16 17 弯曲双膝，同时把腰挪往右边，用右手掌用力推动左手掌。上半身往左边倾斜。换方向练习。

⑱ ⑲

18 19 左膝朝右抬高，同时将合十的双手和上身往左挪动。换方向练习。

⑳

㉑

20 身体向下半蹲，双手放于大腿前侧。上下抬臀10次。

21 跪于地板上，双手稍打开按住地板，弯曲双腿成直角。

㉒

22 将双手臂慢慢弯曲，胸部贴近地面，臀部上翘。

㉓

23 双手直起支撑身体，将右腿伸直点地，然向上抬起到最大极限。换方向练习。

功效

全身心的锻炼消除身体多余赘肉，美化体型，防止臀部下垂，具有紧缩腰围、美化腿部曲线的效果。

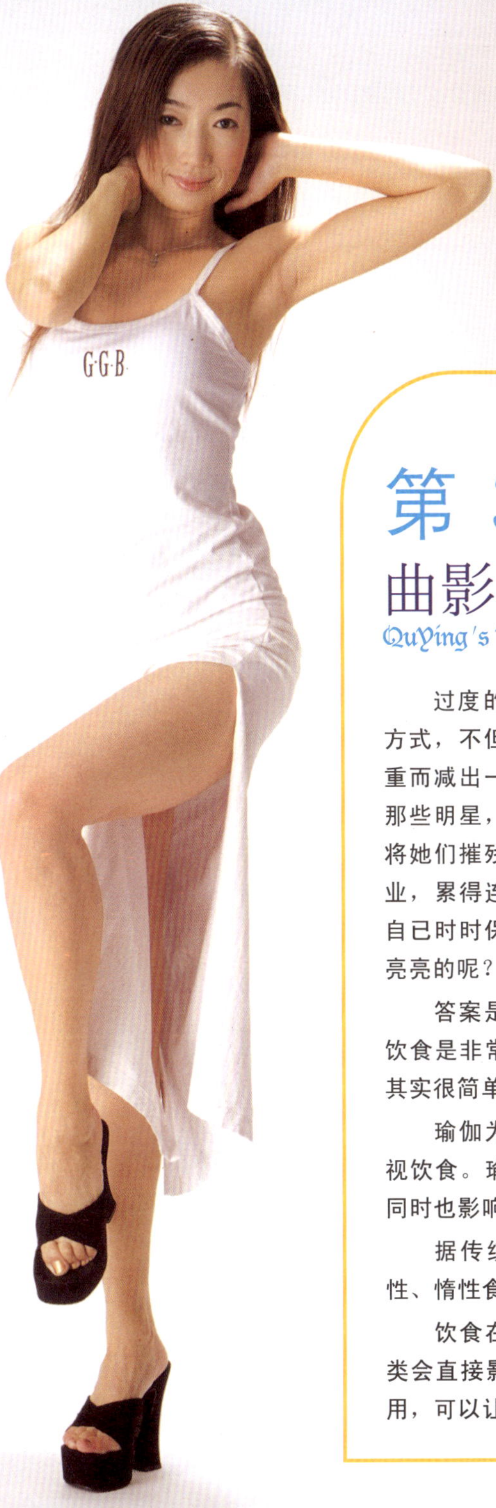

第 3 章

曲影瑜伽食疗馆

QuYing's Yoga Food therapeutics

过度的饮食限制及严厉的运动，这种难似登天的减肥方式，不但难以持之以恒，对身体也是一种伤害，因为减重而减出一身病，也失去了原本想美丽瘦身的本意。看看那些明星，容貌和身段十年如一日，岁月和压力不但没有将她们摧残变老，反而越来越迷人。她们每天忙于演艺事业，累得连睡觉的时间都没有，她们到底是用何种手段让自已时时保持最佳体态，还把皮肤、秀发瘦得水当当、闪亮亮的呢？

答案是，她们有一整套科学而严密的保养程序，其中饮食是非常重要的一环。想要更快乐、更聪明地减肥吗？其实很简单，减重是生活习惯改变的过程。

瑜伽为了得到身心健康，除了呼吸和姿势之外，很重视饮食。瑜伽认为，一个人吃的食物不仅影响他的身体，同时也影响他的心灵和意识，瑜伽推崇健康的饮食。

据传统的瑜伽文献记载，食物分为三类：悦性、变性、惰性食物。

饮食在瑜伽体系中占有决定性的地位，因为食品的种类会直接影响人的身体和精神状况，了解食物的属性再食用，可以让你的心灵更澄净、身体更健康。

瑜伽的特殊食物观

食物的分类并非一成不变！

悦性食物、变性食物、惰性食物的分类并非一成不变的，会随着气候、个人身体状况而变化。比如气候寒冷的地方，变性食物就会变为悦性食物，惰性食物变为变性食物。

悦性食物

瑜伽观念：富有悦性力量的食物称为悦性食物，食用后极易消化，在体内不易堆积尿酸及毒素，消化后在身上产生的能量使身体变得健康轻松和精力充沛，身心变得精细、自律、喜悦，同时产生博爱、希望和怜悯的胸怀，让心灵处于平和与稳定。

食物种类：悦性食物包括所有谷类及其制品，如米、麦、面、玉米、面包卷、面包、糕、大麦、燕麦、水果、大多数的蔬菜、牛奶、乳类制品、豆类、坚果、大豆制品、温和的香料。

变性食物

瑜伽观念：富有变性力量的食物称为变性食物，食用后在身上产生的能量，会使人身心变得好动。若食用过多，会使人变得过分积极、烦躁不安，甚至产生憎恨、忌妒、沮丧、恨怒、恐惧等情绪而失去镇静、平和。

食物种类：变性食物包括有咖啡、浓茶、泡菜、海带、白萝卜、酱油、强烈浓重的调味品、可可、可乐、汽水。

惰性食物

瑜伽观念：富有惰性力量的食物称为惰性食物，食用后在身上产生的能量，使人嗜睡、昏沉、不安，身体易生倦怠、生病，身心变得粗鲁，产生慵懒和不可遏止的欲望，缺乏生命力和开创力。

食物种类：惰性食物包括所有的肉类、鱼、蛋、洋葱、菇类、芥末、蒜、麻醉性饮料、酒、烟、鸦片、大麻烟、麻醉品。陈腐的食物、放置过久的食物或饮食过量，也会变为惰性食物。

16则净化排毒的瑜伽饮食法

针对不同的体质，选择适合自己的瑜伽饮食。接下来我们也帮你归纳了一些瑜伽食物，同时搭配注意的小撇步，能够让你的身体、心灵和精神更加圆满喔！

1.在平静和愉快的心情下进食

吃法和所吃的东西同样重要。如果是在很匆忙、疲倦或是受干扰的环境下用餐，食物就不会被适当消化，其中的营养也会消失。

2.不要吃过量

所有瑜伽修行者都告诉人们，吃东西不要过量，因为胃塞了太多的东西，会使得整个消化系统紧张，因而食物无法消化。此外，残留的半消化食物会在体内产生腐败物质，加重身体负荷。

3.不要吃太多种的食物

强迫胃消化太多种的食物，也会造成消化系统太紧张，所以试着让每餐的食物都尽可能简单，而且不要吃用太多的调味料的食物。

4.充分咀嚼食物

人的消化工作从嘴开始。口中的唾液要先和食物完全混合在一起，再吃到胃里，因为唾液是碱性，和食物混合之后，可以中和酸性，减少过多酸对身体的影响，尤其是淀粉类的食物。因此应慢慢咀嚼食物，不要太快吞进去。

5.以正确姿势坐着吃

背挺挺的坐直，消化系统才不会受到任何的压力。在印度的传统中认为，最好的姿势是双腿交叉而坐。不过记得，千万不要站着吃喝。

6.尽量在饭后休息

因为饭后消化器官需要作用，这个时候如果使用肌肉做劳力的工作，不但会降低身心的效力，也会阻碍消化。

7.避免在两餐之间进食

一般来说，大约需要四个小时的时间，食物才会完全离开胃，如果一整天当中，胃不断地塞满食物，消化液就不能适时地消化食物，所以最好在真正饿的时候进食，千万不要在胃已经满满的时候还继续吃。建议一天最多吃四餐，在两餐之间不要再吃任何东西。

8.睡前或太晚不要进食

因为这时候进食，消化产生的热能会造成胃涨气，进而消化不良，同时也可能影响大脑，造成扰人的梦。此外，睡前能够到户外散步一下，也是对健康有益的。

9.多吸收新鲜空气和多做运动

身体需要运动来刺激消化器官，并且帮助促进消化功能，而且消化需要大量的氧气，如果不运动，消化和健康逐渐受损。同时每天多运动，对改善便秘也很有帮助。

10.食用有知性的人所煮的食物

在瑜伽的概念中，借着静坐让心思更加敏锐，因此常多食用纯洁又充满爱的人所煮的食物，也能让自己的思想保持愉快。

11.饭前半浴

身体在吃饭的时候，还有饭后会产生热能，所以在饭前做半浴把身体冷却，可以让心平静下来，经常练习也对健康有益。

何谓半浴?

＊冷水冲洗生殖器部位

＊由膝盖以下到脚趾，以及由手肘到手指皆用冷水浇之

＊以口含水并同时用水泼眼十二次，再将口中水吐出

＊以手沾水冷却额头、耳朵和后颈背

12.每天喝大量的水

水是天然的清洁剂，每天可以喝到3000cc的水是非常好的一件事。每次喝一些，半杯或一杯，一天可以喝很多次。如果不习惯大量喝水的人，应逐渐增加每天的喝水量。不过吃饭的时候不要喝太多的水，否则会稀释消化液，反而破坏消化功能。如果水里面加一点盐或是柠檬，对健康也不错喔!

13.不要吃太热或太冷的食物

太热的食物，容易扰乱心智，所以吃之前先让食物冷却一下；而太冷的食物和饮料，会使肠道收缩而变得消化困难，而且还可能影响气管收缩，使他们变过敏。

14.早晨空腹时喝柠檬盐水

起床盥洗完毕后，可以喝400cc的柠檬水，其中加一些盐，可以酸碱中和，改善酸性体质。对有关节疾病的人来说，非常好喔!

15.午饭后吃优格

白天选择吃原味的优格，可以帮助食物分解和吸收。不过千万注意，优格一定要白天吃，因为到了晚上，优格就变成了惰性食物，反而对身体不好呢!

16.睡前喝牛奶

建议可以喝300cc的鲜奶，牛奶的营养素可以增加血液中的血钙含量，同时让心神稳定，可以帮助睡眠呦!

瑜伽饮食戒律

- 定时定量：如果用餐时间还不饿的话，等下一餐再吃。
- 细嚼慢咽：要记得，消化过程从食物一入口就开始了。
- 每餐只吃四到五种食物，杂七杂八的食物会给消化系统带来负担；正餐之间不要有点心。
- 不要吃全饱，固体占胃的一半，液体占胃的三成，留点空间给胃进行消化工作。
- 用餐时保持愉悦的心情，最好能安静地用餐。
- 慢慢改变您的饮食习惯。
- 用餐前，感谢上天赐予所有食物。
- 每周试着断食一天。
- 为活着而吃，不要为吃而活。

瑜伽三宝：柠檬、优格、牛奶

柠檬、优格和牛奶这三种食物，是练瑜伽之人最好的选择，如果再搭配时间饮用，可以让身体更加健康呢！

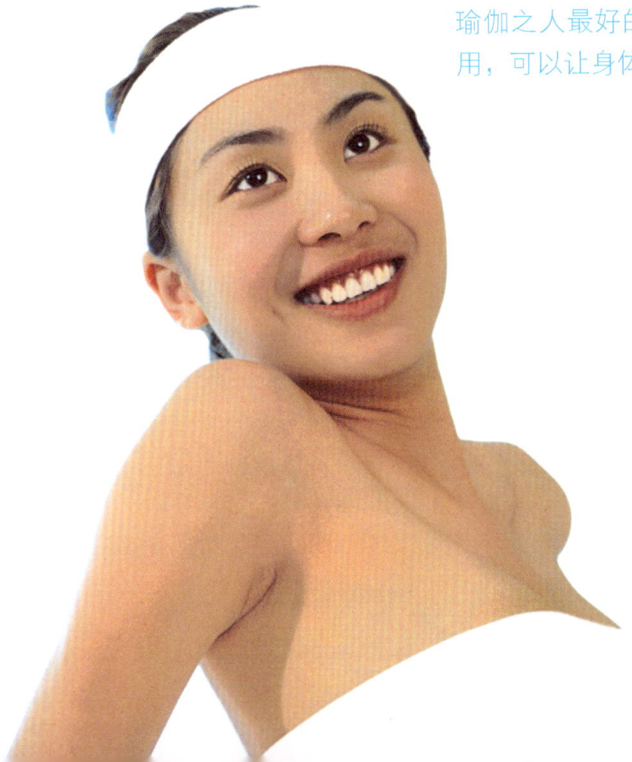

多年来，我潜心研究了各种瑜伽经典文献，精心搜集各色对纤体美颜有特异功效的膳食疗方，创出以下好吃又遵循瑜伽饮食戒律的美食佳肴，有贪嘴也享“瘦”的水果甜点、营养又纤体的新鲜蔬菜、紧急瘦身必吃的每日瘦一斤魔鬼餐……想在7日之内重塑身材，并且瘦得健康瘦得放心，必须严格遵守以下餐谱哦！当然，你也可以将它们视作日常瘦身餐谱，以长期保持战果。

在享用这些美食之前，我们先来认识一下瘦身不可不知的“卡路里”：

Calorie: Recognizing Calorie

一 认识卡路里

食物热能传统上以卡路里计量。1卡路里亦即1克水要上升1摄氏度所需的热能。由于卡路里的单位相当小，因而在计算食物热能时，通常以大卡(千卡Kilocalorie)表示，英文中常以大写开头的Calorie表示大卡，与小写开头的小卡calorie相区分。

每人每天所需的热能，因个人活动及自身基本热能的消耗量而不同。在休息状态下，成年女子每天平均需要约1300大卡，男子则需大约1600大卡。任何运动都需要额外的热能，因而你所需的总热能也随之增加。

不可不知的食物热量大公开・・・

主食类

种类	单位	热量
1. 白饭	1碗	200卡路里
2. 炒饭	1份	680卡路里
3. 全麦面包	1片	65卡路里
4. 白面包	1片	75卡路里
5. 酱油拉面	1碗	430卡路里
6. 速食面	1包	470卡路里
7. 荞麦面	1碗	260卡路里
8. 肉粽	1个	370卡路里
9. 寿司	1个	130卡路里
10.咖哩饭	1份	580卡路里

蔬菜类

种类	单位	热量
1. 西红柿	100克	19卡路里
2. 胡萝卜	100克	42卡路里
3. 冬瓜	100克	14卡路里
4. 花菜	100克	24卡路里
5. 玉米	100克	50卡路里
6. 黄瓜	100克	18卡路里
7. 香菇	100克	29卡路里
8. 洋葱	100克	29卡路里
9. 青椒	100克	20卡路里
10.马铃薯	100克	93卡路里

水果类

种类	1 西瓜	2 柠檬	3 苹果	4 香蕉	5 荔枝	6 奇异果	7 桃	8 梨	9 石榴	10 樱桃
单位	100克	100克	100克	100克	100克	100克	100克	100克	100克	100克
热量	25卡路里	53卡路里	52卡路里	90卡路里	66卡路里	30卡路里	43卡路里	32卡路里	63卡路里	25卡路里

肉类

种类	1 牛肉	2 猪肉	3 羊肉	4 鸭肉	5 鸡肉	6 香肠	7 海蜇	8 鲫鱼	9 虾	10 螃蟹
单位	100克	100克	100克	100克	100克	100克	100克	100克	100克	100克
热量	310卡路里	307卡路里	176卡路里	183卡路里	200卡路里	320卡路里	272卡路里	261卡路里	345卡路里	326卡路里

油类

种类	单位	热量
1. 奶油	30ml	200卡路里
2. 猪油	30ml	230卡路里
3. 葵花油	30ml	240卡路里
4. 橄榄油	30ml	240卡路里
5. 花生油	30ml	240卡路里

零食类

种类	单位	热量
1. 洋芋片	100克	555卡路里
2. 薄荷口香糖	1片	5卡路里
3. 开心果	100克	517卡路里
4. 全麦饼干	1片	61卡路里
5. 葡萄干	100克	284卡路里

Greed:

Fruits And Cookies For Greed

二 贪嘴时的水果及甜点

一年四季，满眼都是诱人的鲜美水果，“只吃水果可以减肥，至少可保持好身材！”一些爱美人士这么认为，就干脆不吃正餐，天底下真有这样的好事吗？

不是每一种水果都能达到瘦身的作用，有些水果的糖分相当高，怕胖的人应避免。尤其以水果当正餐的人要注意，长期只吃水果减肥，令积寒助湿，因此要按季节、个人体质来配合。所有的水果都含有糖分，吃多了糖分，也难以减肥，所以想以吃水果达到瘦身目的，必须慎选。

西红柿、苹果、樱桃等，就是减肥族搭配水果餐的较佳选择。水果含有丰富的纤维素和果胶(蔬菜也含有丰富的纤维素)，纤维素和果胶等膳食纤维不能被消化吸收，不会产生过多热量，但水果能提供的营养素有限，光吃水果不吃正餐，不论热量过程不及，都无法摄取到足够的蛋白质、脂肪及钙、铁、锌等营养素，久而久之会造成毛发干燥与断裂、皮肤失去光泽、骨质疏松症，还有可能经常感冒、贫血、工作或学习出现障碍等症状。可见想靠水果减肥，一定要慎选种类，并且与其它食材善加搭配，才能达到营养均衡、健康瘦身的效果！

水果蛋糕寿司

材料：

白饭150克；奇异果半颗；樱桃2颗；苹果半颗；
柠檬汁10毫升；香松少许；桂鱼松25克。

作法：

1. 白饭沥上柠檬汁、香松、桂鱼松拌匀。
2. 苹果、奇异果切片，铺在作法1上。
3. 将白饭卷成寿司状，切成二块盛盘即可。

功效：

脂肪酸可增进排毒、红润气色，保持脑部活力，有效减肥。
适合体质及对象：适合寒性体质、肝郁气滞型的人多吃。

水果玛璃

材料：

樱桃9颗、苹果1个、柠檬汁10毫升、蜂蜜5毫升。

作法：

1. 将苹果切小块、樱桃去核。
2. 加入柠檬汁、蜂蜜、适量白开水打成汁。

功效：

利用维生素来抵抗病菌并促进血液循环，既瘦身又不失健康，加速排毒，使肌肤红润、淡化色素。

黄瓜苹果汁

材料：

大黄瓜200克；苹果50克；柠檬汁1小匙。

作法：

将大黄瓜及苹果榨汁，柠檬亦挤汁混合即可。

功效：

黄瓜属甘、凉，具清热利水、治烦喝、治咽喉肿痛、小便不利等功效。整杯果汁的热量低，有清凉止渴利尿等功效，对想减重者而言，这是最好的饮料。

西红柿柠檬蜜

材　料：

西红柿4颗、蜂蜜100毫升、柠檬10毫升。

作　法：

1、将西红柿去皮切块打成汁，过滤。

2、将作法1的果汁加入柠檬汁、蜂蜜搅匀即可。

功　效：

利用西红柿和柠檬中的维他命C强力排毒，轻盈体态，促胶原蛋白质的生成，让脸部同时美白。

Vegetables: Delicious Vegetables

三 新鲜美味蔬菜篇

蔬菜含有丰富的维生素、纤维质、碱性矿物元素(钾、钠、镁)等，拥有调整身体状况功能的营养素。它可以中和体内酸性成分，活化分解囤积在脂肪细胞中的脂肪。蔬菜大致可以分为黄绿色蔬菜及淡色蔬菜两种。黄绿色蔬菜在调理后比较不会减少原来的风味，口感清脆；至于淡色蔬菜，多半可以直接生吃，稍微吃多些是没有关系的。

五小福

材料：

胡萝卜1/2根，牛蒡1条，小芋头8个，盐少许，干香菇8朵，豌豆荚8个，高汤3杯，薄盐酱油少量。

做法：

1. 胡萝卜刻成花形，牛蒡切斜片。
2. 芋头削皮、抹盐，去除粘液，先烫煮一次，将水倒掉。
3. 干香菇放在温水泡软，使之恢复原形。
4. 在锅中加入高汤，把1、2、3的材料略煮一下，去除浮沫，加入薄盐酱油继续滚煮。最后加入刚烫过的豌豆荚，熄火。

高汤的作法：以1杯水对1/5小匙颗粒状高汤的比例调制。

烹调要诀：

炖煮食物时所用的调味料都具有令人讶异的高热量。若在烹调完成才调味，就可以完全利用食材本身充分渗溢而出的甘美之味，相对的减少了调味料的使用量。另外，如果味道过重，不知不觉地饭也会多吃一些，这方面也需要特别提高警觉。

功效：

多种蔬菜配在一起，营养自是不用说。而且胡萝卜素对眼睛也有很大的功效。

香橙沙拉

材料：

香橙2个、薄荷叶5片、洋葱丝少许、白醋1汤匙、橄榄油1汤匙、盐少许、胡椒少许。

做法：

1. 香橙用切掉皮膜，将果肉切成一片一片。
2. 薄荷切丝，加入洋葱丝、盐、胡椒、白醋、橄榄油拌均匀。
3. 将酱汁淋入香橙，浸渍约30分钟后再食用。

功效：

营养丰富，清淡消脂。

油醋沙拉

材料：

莴苣1/3个，小黄瓜1条，红萝卜1/2根，西洋芹菜1根，赤橄榄10粒，陈醋3大匙，橄榄油2大匙。

做法：

1. 莴苣、小黄瓜、红萝卜、西洋芹菜洗净泡清水后摆盘备用。赤橄榄切片。
2. 在盘中倒入陈醋，淋上橄榄油即可。

功效：

清淡的口味，不会让你吃的太多，而且不含最容易让人长胖的脂肪，你想胖都难啊。

韭黄炒韭菜花

材料：

韭黄2束，韭菜花1束，木耳20克，
盐少许，胡椒少许，水拉油2小匙。

做法：

1. 将韭黄、韭菜花切成4厘米长。木耳泡软到恢复原状，去除坚硬的部分。
2. 用炒锅加热完全后，将油倒入，依木耳、韭菜花、韭黄的顺序炒拌，并以盐、胡椒调味。

烹调要诀：

在节食中，可采用铁弗龙加工的平底锅或炒锅来避免油脂。另外，要将平底锅或中式炒锅加热完全，只要少量的油即可。充分中热过的平底锅或中式炒锅，只需让油沾一下锅就够了，还能防止菜烧焦。韭黄和韭菜花不一样，一下子就熟透了，所以放在最后下锅即可。

功效：

韭菜是减肥大餐中一道最重要的食物，对减肥有莫大功效。

Soup: Restorative Soup

四 爱惜自己的好汤

身体能量使用次序依次为血糖、肝糖（包括肝中及肌肉中的肝糖）、再来才是脂肪，最后则是轮到蛋白质。而因瘦身汤含大量纤维素、维生素，能有效降低胆固醇，属低热量减肥，会迫使身体使用库贮的能量来弥补饮食中的不足，而血糖在体内只存了15克左右，所以很快便用到肝糖，而燃烧脂肪是要催化剂的，速度也很慢，最后会迫使身体分解肌肉蛋白质，间接将其转变为血糖供身体所用。

一碗精心熬煮的汤，融合了许多食材的营养精华。

食用养颜汤粥可以滋补五脏、补益气血、疏通经络、活血行淤；被动风清热、凉血解毒；润肤增白、美容面色等途径，达到面容美化的目的。汤的营养成分很高,但是热量少,在餐前喝汤，既可以补充营养,又可以因饱足感而避免吃进太多食物，在此介绍几种由低热量的食物所烹调而成的美味汤品。

薏仁雪莲汤

材料：

薏仁10克，红豆10克，小汤圆10克，雪莲100克，冰糖15克。

做法：

1. 将薏仁、红豆分别泡2小时，一起煮至熟软后，加入冰糖拌匀调味，盛入碗中。
2. 另煮一锅水将小汤圆煮熟，捞起沥除水分后，放入作法1的碗中。
3. 雪莲切丁后也放入碗中，即完成此道甜汤。

功效：

薏仁具有利尿、消水肿的功用，可促进新陈代谢、帮助排便，有助于体重减轻。

海带瘦肉汤

材料：

带皮冬瓜500克，海带100克，陈皮1小块，瘦猪肉200克。

做法：

1. 瘦猪肉洗干净切片，飞水。
2. 冬瓜连皮切块，海带先泡水，将泥、杂质清洗干净。切段。
3. 水煮滚后放入以上所有材料，用大火煮10分钟，转文火煮2小时，加入盐调味即可饮。

功效：

冬瓜不含脂肪，含钠较低，又可以利尿去湿，因此常吃冬瓜有明显的减肥轻身作用，对肾炎浮肿也有消水肿的功效，对治疗糖尿病引起的肥胖，也有一定的效果。海带为海产植物，含有丰富碘质及多种微量元素，有消除脂肪及胆固醇的功效，所以也有减肥的作用。

田七除斑瘦身汤

材料：

田七15克，瘦猪肉40克，红枣6粒，盐适量。

做法：

1. 瘦猪肉洗干净切块，飞水。
2. 红枣去核，田七片洗净备用。
3. 水煮滚，放所有材料，用大火煮10分钟，再转文火煮2小时，加盐调味即可食用。

功效：

这道汤甘中带苦。田七，性味甘、微苦、微温。 如果脸色黯沉、长斑、口唇颜色深紫、容易疲劳、肥胖、女孩子月经不顺、有痛经症状，常喝这道即可改善。因为田七有活血散结、加速新陈代谢，以及降低胆固醇等功效。

山药枸杞粥

材料：

枸杞子20克，山药50克（山药用新鲜的或是干燥的均可），米100克，高汤一罐（素食者可用素高汤）。

做法：

把材料洗干净，适量水煮滚后，放入高汤以及所有的材料同煮成粥。

功效：

山药又名淮山。有健脾、补肺、滋肾的作用。古代药书更称它为上品，认为山药与米壳煮粥，长期服用，可强壮身体、轻身益气、不老延年、健康长寿。同时，山药营养丰富，内含淀粉晦、黏液质、糖蛋白、自由氨基酸、维生素C、碘、钙、磷等。现代医学研究也证明，枸杞子有降低血糖，以及抑制脂肪的肝细胞内沉积，防止脂肪肝，促进肝细胞新生的作用。

综合以上理论更可证明“山药枸杞粥”有养生健体、滋补肝肾、减肥瘦身的功效。

Lunch: One Day One Jin ,lunch With Low Calorie

五 一日瘦一斤魔鬼瘦身餐区

什么样的人最适合使用一日瘦一斤魔鬼瘦身餐呢？除了长期肥胖的人之外，尤其针对因为一连串的假期及庆祝活动，像情人节、圣诞节、过年过节、派对聚餐及应酬大吃大喝，而在短时间内体重增加1～4公斤的肥胖族，或者是自暴自弃的自我毁灭式狂食症，上述各种族群的人都可以适用专门为你设计的“一日瘦一斤魔鬼瘦身餐”。

一日瘦一斤超级便利7-11瘦身餐

- **早餐**：饭团1个+低脂优酪乳1瓶235毫升
- **早点**：水150毫升+茶叶蛋1个+综合维他命1份
- **午餐**：粽子半个+低糖乌龙茶罐缸装1罐355毫升
- **午点**：果汁1罐355m+无糖口香糖1～2片
- **晚餐**：海苔6片+蒟蒻凉面1份+温水300毫升
- **晚点**：低脂优酪乳1瓶235毫升+蛋白1份

本食谱方便采买，选色时要注意食品保存期限，若连续食用本食谱三日以上时，就需更换其它的食谱，以免纤维质摄取不足。

一日瘦一斤再造瘦脸餐

- **早餐**：精和汤1份+蛋1颗（水煮蛋or茶叶蛋）
- **早点**：下列汤品4选1（意仁汤、绿豆汤、薏仁绿豆汤、四神汤）1碗250毫升+综合维他命1份，除了低卡代糖外最好不要放糖
- **午餐**：香菇鸡汤7分饱（去鸡皮、去汤水浮油）+水煮烫青菜无限 + 水200毫升
- **午点**：果菜汁 + 海苔6片 + 综合维他命E1粒
- **晚餐**：海鲜蔬菜汤8分饱（汤品内容：鱼1份【约手掌大小200克】+生香菇4朵切片+金针菇3两+豆腐半块切丁）+红萝卜半根切片+大白菜5叶切片+青菜切片100克
- **晚点**：同早点一样，四样汤品中任选1份+200毫升温水

一日瘦一斤回春防老美白餐

早餐： 火龙果（葡萄柚、番石榴亦可）or大型奇异果4粒（4种选1）+蛋1颗（水煮或茶叶蛋均可）+低脂牛奶1瓶

早点： 小黄瓜或红萝卜2根+澎大海美声茶（3颗澎大海，加入500毫升热水冲泡10分钟）+综合维他命1份

午餐： 鱼肉1份（约市售虱目鱼汤份量，外加1片姜，清蒸或煮成鱼汤）+瘦肉6片（大小约火锅肉片，水煮后调味）+烫青菜（不限）

午点： 果汁1罐355毫升+无糖口香糖1～2片

晚餐： 本书中所附的任合瘦身汤。

晚点： 果汁1罐355毫升+小黄瓜4条or红萝卜3根+温水200毫升

以上食物只可用清蒸、水煮、佐料用盐、酱油、醋、胡椒，不可加油、麻油、糖、酒、蚝油等佐料以免破功，加油加油！鲭鱼每100克含有1743焦耳能量，秋刀鱼每100克有1312焦耳热量，是属于高热量的鱼类，尽量不要选用，可以选吴郭鱼、黑鲳来替代，同样的风味及营养，但肥胖指数却明显降低许多。

一日瘦一斤瘦腰美腿餐

早餐： 稀饭1碗+酱瓜10片（过水去油）or四神汤1碗+水煮烫青菜（不限）+200毫升温水

早点： 水果（西红柿、火龙果、葡萄柚3选1）1粒+人参切片（口含）2片（补精气神）

午餐： 米粉汤1碗+卤海带1条+卤蛋1颗+烫青菜1盘（不可加肉燥及油性调味料）+综合维他命1份

午点： 蛋1颗+无糖乌龙茶1罐355毫升

晚餐： 牛蒡鸡汤8分饱（牛蒡半根+中型鸡胸肉2/3块200g）+海带结5个+蛤蜊8颗+蒟蒻面条（约1块豆腐量）+青菜1盘＋大西红柿1粒

晚点： 水200毫升＋小黄瓜3根＋红萝卜12根＋果汁1罐355毫升

第 4 章

曲影瘦身堂
——突破瓶颈，减磅新发现

QUYING Fitness Room

1 体重停滞期该怎么办？

很多想要减肥的人，通常在实施减肥计划后，第一月都减得很顺利，也可以减掉不少体重，但是到了第二个月时，体重就突然一直停着减不下去了，于是很多人就开始灰心，甚至放弃原先的减肥方法。

这实在是太可惜了，因为那只不过是遇到减肥过程中的“停滞期”而已，只要突破这个减肥停滞期，你的体重还是会继续下降的！

想知道自己是否面临停滞期，有以下几种方法，如果发现它正符合你目前的减重情况，那么，请尽快修正减肥计划，使停滞期快快离开。

●**停滞期的特点**：

1. 减重计划仍在施行，但体重停滞已达一个月，甚至两个月以上。

2. 每天都吃得很少，但体重却毫无动静。

3. 有良好的运动习惯，体重却没有变化。

减肥停滞期是正常的人体生理保护机制。当我们为减肥而减少摄取热量一段时间后，身体就会产生适应现象，将所摄取的食物热量尽量的吸收并作最有效的利用，同时降低基础代谢率，减少能量的消耗，于是热量又达到一个新的平衡状态，体重就不再下降了。

克服减肥停滞期，必须遵从减肥停滞期，及时修正减肥计划，一段时间后体重肯定会再下降。

减肥像下楼梯一样，要一步步慢慢下，通常在你减到自己理想的体重前，可能会遇到好几次的减肥停滞期(就像你停在某一阶梯休息一样)，但是只要你努力突破，经过一次停滞期，就离你的减肥理想近一点，也不易出现复胖的情形！

当你遇到停滞期时，请不要灰心，遵循下列3点循序渐进，你一定可以突破停滞期的！

1. 增加活动量，降低热量摄取。体重减不下来时，请检视你的饮食、运动量状况，最有可能是你吃得太多但是运动量不够，或是你的运动量充足但是热量依然太高，以身体能附

和的范围为依据，增加你的活动量、降低热量的摄取，停滞期一定能轻易突破。

2. 调整减肥方式。当某种减肥法遇到停滞期时，你可以藉由调整减肥方法突破，例如节食减肥加运动减肥、更换运动方式等，不要让你的身体“习惯”某一种减肥法，减肥效果才会好。

3. 随时随地激励自己。在门口、冰箱、书桌贴上警惕自己的小标语、美女照；逛街时买小一号的漂亮衣服挂在墙上……让自己就算遇到停滞期也不松懈自己的减肥意志，一定要减肥成功！

2 运动之后最忌讳吃的食物

只要是有氧运动，在运动过后，一定会出现这个现象：肚子好饿喔！没错，由于有氧运动会加速一个人的新陈代谢，因此很多学生在上课之后会感到饥饿。

假如你选择饱餐一顿，那么很抱歉，这样绝对达不到塑身的效果，反而可能让失去的脂肪加倍回来。

假如你忍着不吃，那么恭喜，相信不需多久，你就会感受到旁人惊羡的眼光，甚至追着你问：“你到底是怎样瘦的？”我建议大家，在运动之后的一个半小时绝对要忌口。

3 感到酸疼时仍要继续运动

“曲老师，你的课程真的很棒，我好喜欢喔！”通常，十个新学生之中，有八个会在第一次上课之后这样告诉我。

“喜欢就好，记得明天再见哦！”

“好，明天见！”

结果，第二天会出现在课堂上的新面孔，大概只剩下五个人。这是为什么呢？

刚开始我也很纳闷，后来和学生们聊起来，才知道这些缺席的人并不是不想来，而是全身酸痛。“唉呀，这样子更应该来上课才是！”我心想。

读者朋友们，你也有运动后感到身体酸痛不堪的状况吗？这是因为你很久没有动到这些肌肉，所以运动后身体难免会感到酸痛，这时候有一点非常重要：无论是那一种运动，当你在第二天会觉得身体酸痛的话，千万不要停下来，而要继续去做，不过倒是可以减少运动的量，让身体有调适的空间。

当一个人做了有氧运动之后，肌肉会在晚上吸收氧气，当你睡觉的时候，也正是肌肉吸收氧气的时间。不信的话，请在做完伏地挺身的第二天早上起床时照镜子，看看你的肌肉是否膨胀起来？

我们常常听到晚上11点到两点是美容黄金时段，此时睡觉皮肤会变好，也是相同的道理。因为在这段时间，身体可以吸收一些精华，第二天身体组织就会变胀。假如前一天的运动量过大，第二天就会感到酸酸疼疼的，此时不妨将原本做15个的动作改成10个，当次日变得比较不酸时，就可以再恢复原本的15个动作了。（如果你觉得自己可以忍受这样的酸痛感，也可以不要减少运动量。）

很多人会因为肌肉酸痛而不做运动，尤其是女生比较怕脚变成萝卜，此时不妨让脚泡一泡热水，或在泡澡时拍打一下小腿，让肌肉放松。不然，就是穿上弹性袜，将小腿包住，并穿着鞋底厚一点、有气垫的鞋子，也可以减少脚酸的感觉。

4 我是瘦了，但局部还是肉肉的不够匀称，有什么办法？

这一定要靠局部运动来帮你达到局部塑身的目的，别偷懒，想要达到最终减肥目标就开始运动吧。

A.局部运动

这是一定要的，局部的肌力运动训练，如仰卧起坐(腹部)、举哑铃(手臂)、腹式呼吸(小腹)等等，勤快点做，一定会有成效的。

B.针灸

如果你不怕痛，还有足够的耐心，其实针灸也是一种打击局部肥胖的好方法！

图书在版编目(C I P)数据

7日速效瘦身瑜伽 / 曲影编著. —成都：成都时代出版社，2008.8 (2012.6 重印)

ISBN 978-7-80705-808-3

I. 7… II. 曲… III. 瑜伽术—基本知识 IV. R214

中国版本图书馆 CIP 数据核字(2008)第 087814 号

7日速效瘦身瑜伽

7RI SUXIAO SHOUSHEN YUJIA

曲影 编著

出 品 人　秦 明
责任编辑　都玲玲
责任校对　张 旭
装帧设计　中映·良品 （0755）26740502
责任印制　莫晓涛

出版发行　成都传媒集团·成都时代出版社
电　　话　(028) 86619530 (编辑部)
　　　　　(028) 86615250 (发行部)
网　　址　www.chengdusd.com
印　　刷　深圳市华信图文印务有限公司
规　　格　889mm×1194mm　1/24
印　　张　5
字　　数　120千
版　　次　2008年8月第1版
印　　次　2012年6月第24次印刷
印　　数　1-15000
书　　号　ISBN 978-7-80705-808-3
定　　价　26.00元